AVVENTURA

A beginner's course in Italian

Language teaching adviser
and drills
PAUL COOPER

Drama script
ALFIO BERNABEI

Cartoon script
ROMOLO BRUNI

Producer
TONY ROBERTS

BRITISH BROADCASTING CORPORATION

THE PROGRAMMES: first broadcast on BBC 1 on Sundays at 10.00 am. beginning October 1st 1972, with a repeat on the following Wednesdays at 12.05 p.m. and on the following Saturdays at 10.30 a.m.

Two 12 in. mono long-playing records to accompany this series are available. They can be ordered through booksellers, or from BBC Publications, London W1A 1AR.

Many BBC television programmes are available for hire or purchase on 16 mm film, suitable for use on a standard projector. Further information can be obtained from BBC Television Enterprises, Villiers House, The Broadway, London W5 2PA.

First published 1972

Published by the British Broadcasting Corporation
35 Marylebone High Street, London W1M 4AA
Printed in England by Jolly and Barber Limited, Rugby

ISBN 0 563 10671 9

CONTENTS

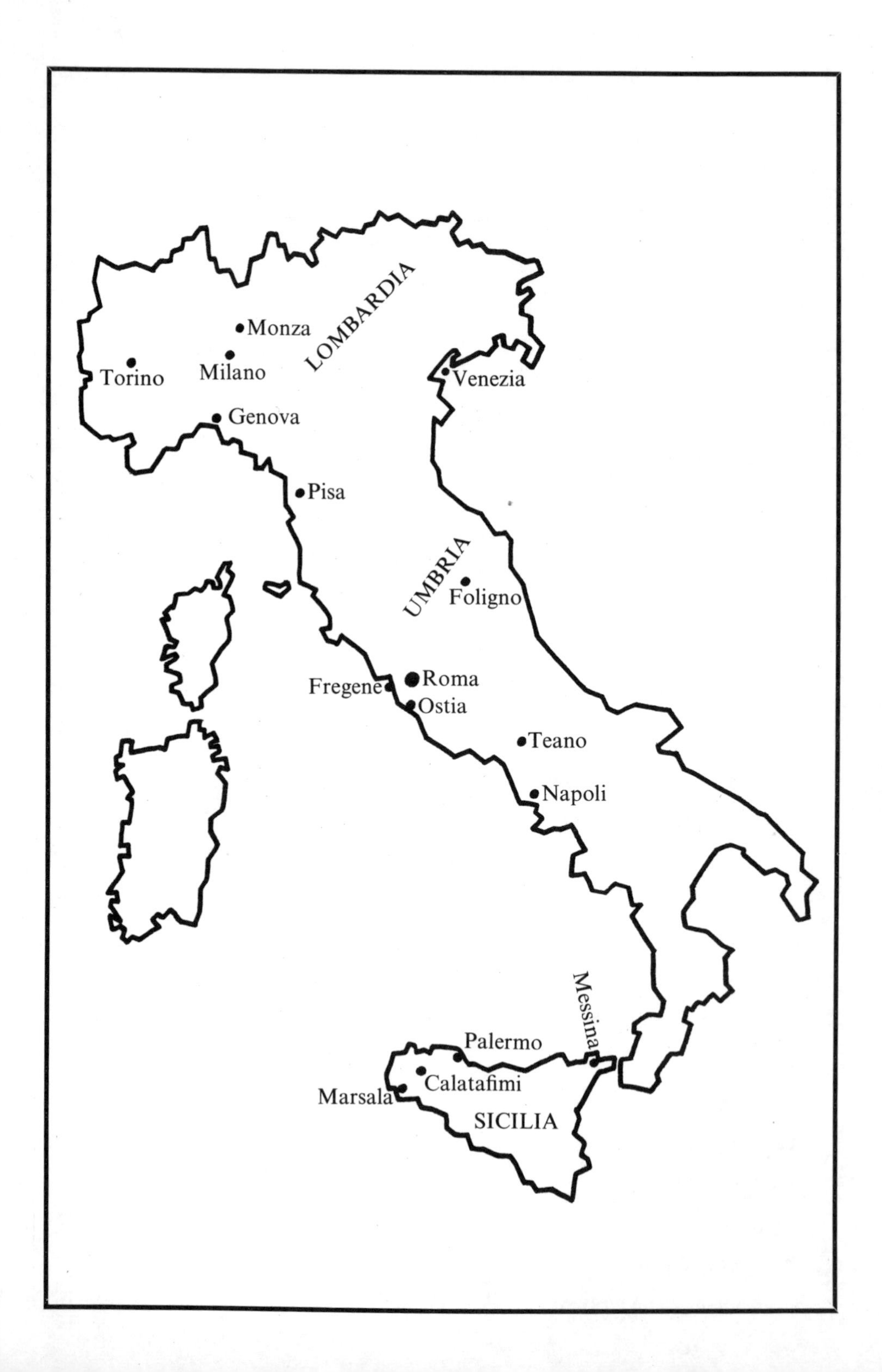
LOMBARDIA
Monza
Torino
Milano
Venezia
Genova
Pisa
UMBRIA
Foligno
Roma
Fregene
Ostia
Teano
Napoli
Messina
Palermo
Calatafimi
Marsala
SICILIA

INTRODUCTION

Avventura is a new course for beginners in Italian. It consists of twenty-five colour television programmes, this book and two LP records. The basic ingredients of the course are *Le Avventure di Bertoldo Bertolini* (a television strip-cartoon about a young Italian who daydreams), and the *Avventura* story, which tells of a young Roman couple, Giulia and Mario Crespi, at a moment of crisis in their private and public lives.

The aims of *Avventura* are to teach you to *speak* Italian, and to *understand* Italians when they speak to you.

The television programmes are divided into three parts:

First, an episode of *Le Avventure di Bertoldo Bertolini.* The dialogue is presented in speech-bubbles, so you have the advantage of seeing the words at the same time as you hear them.

Then, a short teaching scene. This is a scene from the *Avventura* story specially constructed to illustrate the major teaching points of the programme.

Together, the cartoons and the teaching scene will show you how to *speak* a wide range of key Italian sentences.

The texts of all the cartoons and teaching scenes can be found in full on the LP records.

The third part is an exercise in comprehension. It's no good being able to speak correct Italian if you can't understand what's being said back to you. So the last part of each programme consists of more scenes from the *Avventura* story, but here the language spoken is much freer and more complex. You aren't expected to understand every word; the idea is for you to get the general drift of what's being said – to 'comprehend'. A synopsis of each episode is included in this book.

To make the most of *Avventura* adopt this pattern:

Watch the television programme.
Listen to the record.
Listen again, following the text in the book.
Read the Explanations in the book and do the Talking Practice.
Watch the repeat of the television programme.

1 IDENTIFICATION:

How to ask: Who is . . . ? What are . . . ? etc. and say: These are . . . That is . . . etc.

LE AVVENTURE DI BERTOLDO BERTOLINI

Il Primo Sogno

We see a panorama of a town.

Narrator Questa è Pisa.

Now a large factory with the sign "Fratelli Granata".

Narrator E questa è la ditta Granata, "Fratelli Granata".

Inside a vast office we see Bertoldo.

Narrator Questo è Bertoldo, Bertoldo Bertolini.

In another office his boss.

Narrator E questo è il proprietario della ditta Granata.

And now a collection of men's and women's garments.

Narrator Questi sono i prodotti della ditta Granata.

Finally an assorted crowd of secretaries and typists.

Narrator Queste sono le ragazze, le segretarie della ditta Granata.

B.B. *(Thinks)* Sono belle!

Narrator Povero Bertoldo: è timido.

In the boss's outer office. B.B. and the boss's secretary, Flavia.

Narrator Lunedì mattina.

B.B. Buongiorno, signorina.

Flavia Buongiorno, signor Bertolini. S'accomodi.

B.B. Grazie. *(He sits, points to catalogue)* Quello è il nuovo catalogo?

Flavia Sì. *(Indicates)* E quelli sono i nuovi modelli.

B.B. *(Thinks)* Ultima moda. Ultima moda! Questi modelli non sono nuovi. *(Turns pages)* Brutto . . . ridicolo . . . assurdo . . . bruttissimo. *(Turns to girl in Grecian dress)* Ma questo è nuovo! Che bella ragazza!

B.B. dreams of a large ballroom where a reception is in progress. King and queen prominent. B.B. dressed as Nero, Flavia now in the Grecian dress.

M.C. Il signor Bertoldo Bertolini e la signorina Flavia.

Carla Ma chi è?

Franca Chi?

Carla Quello lì.

Franca Non lo so.

Paola È il ministro.

Carla No, non è il ministro.

Franca Il ministro è grasso.

Carla E basso.

Paola Forse è il fratello del ministro.

Enrico E la ragazza?

Silvano Sì, chi è quella ragazza?

Riccardo Non lo so.

Silvano È bella!

Enrico È bellissima!

Carla Ma chi sono? Chi sono?

King *(Loudly greeting B.B.)* Bertoldo, carissimo!

E QUELLI SONO I NUOVI MODELLI.
DITTA GRANATA CATALOGO
SÌ, CHI È QUELLA RAGAZZA?
MA CHI SONO? CHI SONO?

B.B. Ciao, Altezza.
King Avanti! Avanti! Avanti! Avanti!

B.B. is rudely awakened by the boss calling.
Boss Avanti! Avanti! Bertolini! Avanti!

WORDS AND PHRASES

questa è Pisa	*this is Pisa*
e	*and*
la ditta "Fratelli Granata"	*the firm "Granata Brothers"*
questi sono i prodotti della ditta	*these are the products of the firm*
le ragazze sono belle	*the girls are pretty*
povero Bertoldo	*poor Bertoldo*
lunedì mattina	*Monday morning*
signor Bertolini	*Mr. Bertolini*
s'accomodi	*have a seat*
sì, quello è il nuovo catalogo	*yes, that's the new catalogue*
quelli non sono nuovi	*those are not new*
ultima moda	*latest fashion*
brutto . . . bruttissimo	*ugly . . . extremely ugly*
che bella ragazza!	*what a beautiful girl!*
chi è quello lì?	*who is that (man) there?*
non lo so	*I don't know*
forse è il fratello del ministro	*perhaps he's the brother of the Minister*
carissimo	*my dear fellow*
ciao, Altezza	*hallo, Highness*
avanti	*come up here, come in*

TEACHING SCENE

Police station interior. A number of people sitting down. Two policemen, one operating a slide-projector, the other questioning a man about the projected slide of a road accident.
Policeman Questa? *(Pointing to a car on the slide)*
Olivetti Sì, quella.
Policeman Questa è la macchina?
Olivetti Sì, sì, quella è la macchina.
Policeman Sicuro?
Olivetti Sicurissimo.
Policeman Grazie. *(Preparing to write down details)* Allora, nome?
Olivetti Roberto.
Policeman Cognome?
Olivetti Olivetti. *(Second policeman knocks over pile of slides)* Che cos'è?
Policeman Niente, niente. Signor Olivetti *(A large gesture to wrong car)* questa macchina è . . .
Olivetti No, non quella.
Policeman Allora questa?
Olivetti No.

Policeman Questa qui?
Olivetti Sì, quella lì. Quella è la macchina.
Policeman *(Flicks fingers to second policeman to change slide. A distant and blurred picture of a young woman appears)* Chi è questa persona?
Olivetti Non lo so.
Policeman *(Signals for another slide. It shows a group of people)* Allora, chi sono queste persone?
Olivetti Quella è mia sorella e quello è mio fratello.
Policeman Grazie, signore.
Olivetti È tutto?
Policeman Sì, grazie, è tutto. *(Looks at his notes, shouts)* Silvana Monti! Silvana Monti! *(To himself)* Chi è Silvana Monti? È forse la signorina . . . *(Girl and man come up to him. To girl)* Silvana Monti?
Silvana Sì.
Policeman S'accomodi, signorina.
Silvana Signora Monti! Questo *(Indicates man with her)* è mio marito. *(They sit)*
Policeman Mi scusi. *(Second policeman changes slide to indistinct picture of windscreen)* Allora, che cos'è?
Silvana *(After deliberating)* Non lo so.
Policeman *(Flicks fingers for change of slide to indistinct close-up of gloves lying on road)* Che cosa sono?
Silvana Non lo so.
Policeman *(Picks up battered gloves from table)* Sono i guanti. Belli, eh! Guanti da donna. *(To second policeman)* La borsetta! *(Second policeman gives him handbag)* E questa che cos'è?
Silvana Non lo so. *(Shrugs)*
Policeman Allora . . . *(Second policeman puts up picture of a pin-up by mistake)* Ma che cos'è?
Silvana Che bella ragazza! *(Second policeman quickly changes slide to big close-up of a woman)*
Policeman Allora, chi è questa donna?

WORDS AND PHRASES

questa è la macchina	*this is the car*
sicuro . . . sicurissimo	*sure . . . absolutely sure*
allora	*now . . . so . . . well then . . .*
nome e cognome	*Christian name and surname*
che cos'è?	*what is it?*
niente	*nothing*
questa qui	*this one here*
mia sorella e mio fratello	*my sister and my brother*
sì, grazie, è tutto	*yes thank you, that's all*
mio marito	*my husband*
mi scusi	*excuse me, sorry*
sono guanti da donna	*they're women's gloves*
signora Monti	*Mrs. Monti*
signorina Monti	*Miss Monti*

EXPLANATIONS

1 ***Most Italian words end in a vowel. Here are two of the commonest patterns.***

–O	quest**o** è il nuov**o** cappell**o**	*this is the new hat*
–A	quest**a** è la nuov**a** macchin**a**	*this is the new car*

2 ***When talking about more than one thing or person the patterns change.***

–I	quest**i** sono i nuov**i** cappell**i**	*these are the new hats*
–E	quest**e** sono le nuov**e** macchin**e**	*these are the new cars*

Practise the –O and –A patterns.

Flavia è bell_, ma il ministro non è bell_. (non è *isn't*)
Il ministro è grass_, ma Flavia non è grass_.
Quest_ borsetta è ridicol_ e quest_ cappello è ridicol_.
Quell_ è il nuov_ catalogo. Quell_ è la nuov_ segretaria.

Practise the –I and –E patterns.

I nuov_ guanti sono bruttissim_.
Le borsette sono bell_ ma i cappelli non sono bell_.
Quell_ nuov_ macchine sono assurd_.
I fratelli sono grass_ e bass_.

Check your answers on page 164 and then read them aloud.

3 ***How to identify people and things***

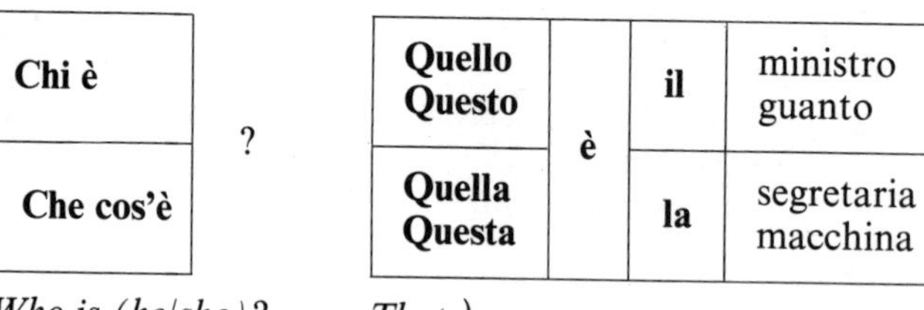

Chi è	?	**Quello** **Questo**	**è**	**il**	ministro guanto
Che cos'è		**Quella** **Questa**		**la**	segretaria macchina

Who is (he/she)?
What is it?

That / *This* } *is the . . .*

Chi sono	?	**Quelli** **Questi**	**sono**	**i**	ministri guanti
Che cosa sono		**Quelle** **Queste**		**le**	segretarie macchine

Who are they?
What are they?

Those / *These* } *are the . . .*

4 ***In Italian the difference between a statement and a question lies in the way the sentence is spoken: the intonation.***

Quella è la macchina.	*That's the car.*
Quella è la macchina?	*Is that the car?*

TALKING PRACTICE

I *Listen to the cartoon story on the record and read it through before answering.*

Bertoldo è timido? — Sì, è timido.
Le segretarie della ditta Granata sono brutte? — No, non sono brutte.

1 Sono belle? ....
2 Il ministro è bello? ....
3 Il catalogo della ditta Granata è nuovo? ....
4 I nuovi modelli sono belli? ....
5 Sono brutti? ....
6 Flavia è brutta? ....

II *You have just married a rich husband and are showing off your possessions to a friend. In response to her compliment just say:* Sì, è nuovo (nuova) *or* Sì, sono nuovi (nuove).

Che bella borsetta! — Sì, è nuova.

1 E che belle scarpe! *(shoes)* — Sì, sono ....
2 I guanti sono belli. ....
3 E il cappello è bello. *(hat)* ....
4 E che bella macchina! ....
E il marito? — Sì, è nuovo. Nuovo e ricco. *(rich)*

III *You and the man at the next desk at Fratelli Granata's see the boss driving off with a woman. Having nothing better to do with your time you discuss who she is.*

Chi è quella donna?
Forse è la signora Granata. — No, non è la signora Granata.
Allora forse è la sorella. — No, non è la sorella.

1 Allora forse è la signorina Volpi. ....
2 Forse è la sorella di Bertoldo. ....
3 Forse è la segretaria del dottor Granata. ....
4 Sì, è Flavia. ....
5 Allora forse è la sorella di Flavia. ....
Allora chi è? — Non lo so.

IV *Agree emphatically with the following remarks.*

Quella macchina è nuova. — Sì, è nuovissima.
Questi modelli sono brutti. — Sì, sono bruttissimi.

1 Ma questo modello è bello. ....
2 La segretaria del dottor Granata è bella. ....
3 Ma le sorelle del dottor Granata sono brutte. ....
4 Bertoldo è timido. ....
5 Questi prodotti sono nuovi. ....

SYNOPSIS OF COMPREHENSION SCENES

Giulia Crespi on her way back to Rome comes across an accident. She talks to a woman whose child has been injured. The sight of the child makes her think of her own little boy, Emilio. She thinks back to a happy occasion in the countryside with Emilio and her husband, Mario.

2 VERBS:
How to address people: two ways of saying 'you'.

LE AVVENTURE DI BERTOLDO BERTOLINI

Il Foro Romano

In the boss's office. Behind the boss is a picture of the Roman Forum. On his desk a bust of Caesar.

Boss Avanti! Avanti! S'accomodi, Bertolini. Dunque, oggi c'è un tedesco . . .
B.B. Ma, non parlo tedesco.
Boss Non parla tedesco, Bertolini?
B.B. Ma . . .
Boss Bisogna parlare tedesco per vendere! Oggi un tedesco, forse domani un americano. Bisogna parlare tutte le lingue per vendere i prodotti.

As the boss rambles on, B.B. dreams of the Roman Forum where, accompanied by Marina and Fulvia, he is selling goods to a crowd of Roman citizens.

B.B. Amici, romani, fratelli! Vendo e compro. Avanti! Avanti! Avanti!
Man Che cosa vende?
B.B. Vendo vestiti, guanti, borsette, fazzoletti . . . un po' di tutto.
Marina Allora, avanti signori. Un vestito? Una borsetta?
Scotsman Scusi . . .
B.B. Parla italiano?
Scotsman Parlo italiano? Sì, certo. Vende vestiti?
B.B. Per chi? Uomo o donna?
Scotsman Per me!
Marina *(Whispers)* È un uomo.
B.B. Ah! Grazie, Marina. Ecco, signore. *(Gives Scotsman suit)*
As the Scotsman moves away B.B. glimpses a Nubian shivering with cold and sneezing.
B.B. Signore! Vendo fazzoletti: sono fazzoletti Granata.
Nubian Quanto costa un fazzoletto?
B.B. Cento fazzoletti, cento lire.
Nubian Troppo caro. Prende un coccodrillo in cambio? *(Produces a crocodile)*
B.B. Va bene. Prendo il coccodrillo in cambio.
At this, a number of others offer a selection of useless, dangerous animals.
All Signore! Signore!
B.B. Un momento! Silenzio!
He turns to a rich American.
B.B. Signore, che cosa desidera? Borsette? Fazzoletti? Guanti? Coccodrilli?
American *(Points at Coliseum)* E quello quanto costa?
B.B. Il Colosseo, signore? *(Smirking)* È caro, ma è nuovo, con aria condizionata.
American Bene. *(Writes cheque for 100 million lire)*
The scene changes to evening in the Forum. B.B. very pleased with himself.
B.B. *(To girls)* Parlo solo italiano, ma compro coccodrilli e vendo il Colosseo.

L'ITALIANO È UNA LINGUA UNIVERSALE. VENDE VESTITI?
NON PARLA INGLESE, **BERTOLINI?**
AMICI, ROMANI, FRATELLI! VENDO E COMPRO. AVANTI! AVANTI! AVANTI!
CASSA
PARLO SOLO ITALIANO, MA COMPRO COCCODRILLI E VENDO IL COLOSSEO.

But he is rudely awoken by the boss's voice.

Boss . . . e per questo, caro Bertolini, non basta parlare una lingua. Bisogna parlare tutte le lingue per vendere.

B.B. *(Thinks)* E comprare!

WORDS AND PHRASES

dunque, oggi c'è un tedesco . . .	*now then, today there's a German . . .*
per vendere	*in order to sell*
bisogna parlare tutte le lingue	*it's necessary to speak all languages*
che cosa vende?	*what do you sell?*
un po' di tutto	*a bit of everything*
sì, certo	*yes, of course*
per chi?	*who for?*
ecco, signore	*here you are, Sir*
quanto costa . . . ?	*how much is . . . ?*
troppo caro	*too dear*
va bene	*OK, all right*
prendo il coccodrillo in cambio	*I'll take the crocodile in exchange*
. . . e per questo . . .	*. . . and that's why . . .*
non basta parlare una lingua	*it's not enough to speak one language*

TEACHING SCENE

A tiny dressing room. Silvia and Lola, two photographic models, dressing.

Silvia Le calze. Le calze. Lola, dove sono le calze?

Lola Hm?

Silvia Perdo tutto.

Lola Ma, Silvia, perdi sempre tutto. Che cosa cerchi?

Silvia Cerco le calze, stupida!

Lola Perchè non guardi lì? *(Points to small bed)*

Silvia *(Searching)* Niente. Niente. Niente!

Lola No, non lì. Sotto il letto. *(Silvia kneels to look under bed. Signor Valentino, the dress designer, enters)*

Valentino Ecco i vestiti, ragazze. *(Sees Silvia on floor)* Signorina, questo non è il momento di giocare.

Silvia *(Acidly)* Signor Valentino, questo non è un gioco: non trovo le calze.

Valentino Non trova le calze? Che disastro! Che disastro! Signorina, perde sempre tutto. Bisogna assolutamente trovare le calze. Subito!

Silvia *(Calmly)* Cerco le calze. Guardo sotto il letto.

Lola *(Indicating armchair)* Silvia, perchè non guardi lì?

Valentino *(To Silvia)* Signorina, *(Silvia ignores him)* perchè non guarda lì? *(Points to armchair) (Crosses to armchair, finds stockings)* Ecco le calze. *(Shows them to Silvia)* Ecco le calze!

Silvia *(Emerging from under bed)* Grazie tante.

Valentino *(Shows dress)* Questo è il vestito della signorina Riva. *(Gives it to Lola)* Presto! Presto! E questo è il vestito della signorina . . . *(Turns to Silvia, sees her slowly putting on stockings)* Ma che cosa . . .

Silvia *(Calmly)* Prima le calze e poi il vestito. *(Slowly puts on stockings).*
Valentino *(Exasperated)* Signorina! Bisogna fotografare questi vestiti, non le calze!
Silvia *(Provocatively)* Allora non trova belle queste gambe?
Valentino Non parlo di gambe! Parlo di vestiti, cara signorina.
Silvia *(Shouts at him)* Parla sempre di vestiti. *(He goes. She starts to put on dress)* Vestiti. Vestiti.
Lola *(Looking in a handbag)* Silvia, non trovo . . .
Silvia Che cosa non trovi? *(Notices it's her handbag, grabs it quickly from Lola. Finds lipstick and gives it to Lola)* Ecco il rossetto. *(The tension goes)* È già qui il fotografo?
Lola Non lo so.
Silvia È un uomo o una donna?
Lola Non lo so. Forse una donna.
Silvia Un'altra donna?

WORDS AND PHRASES

dove sono le calze?	*where are the stockings?*
perdi sempre tutto	*you always lose everything*
che cosa cerchi?	*what are you looking for?*
perchè non guardi lì?	*why don't you look over there?*
sotto il letto	*under the bed*
questo non è il momento di giocare	*this isn't the moment to fool about*
prima . . . poi . . .	*first . . . then . . .*
non trova belle queste gambe?	*don't you find these legs beautiful?*
un'altra donna	*another woman*

EXPLANATIONS

1 ***The word for 'a'***

un uomo — **una** donna
un vestito — **una** macchina

una *is shortened to* un' *when the next word begins with a vowel:*

un'altra donna — un'italiana

2 ***to buy, to sell, to take, etc.***

Bisogna	compr**are**	quella macchina	*. . . to buy . . .*
	cerc**are**	le calze	*. . . to look for . . .*
	vend**ere**	tutte le borsette	*. . . to sell . . .*
	prend**ere**	cento fazzoletti	*. . . to take . . .*

It's useful to know whether a verb is in the –are *group or the* –ere *group.*

3 ***How to say: 'I . . .'***

Compr**o** Vend**o**	vestiti macchine	***I*** *buy . . .* ***I*** *sell . . .*
Cerc**o** Prend**o**	le calze la borsetta	***I'm*** *looking for . . .* ***I'll*** *take . . .*

compr**o**, prend**o** *It's not necessary to use a separate word for 'I'.*

4 ***How to say: 'You . . .'*** *– if you're on Christian name (confidential) terms*

Compr**i** Vend**i**	borsette vestiti	Bertoldo	?
Cerch**i** il rossetto Perchè non prend**i** questo		Lola Silvia	

Do you buy *Do you sell*	*handbags* *clothes*	*Bertoldo*	*?*
Are you looking for the lipstick *Why don't you take this one*		*Lola* *Silvia*	

For the confidential 'you' **–are** / **–ere** *words end in* **i**

5 ***How to say: 'You . . .'*** *– if you're on formal terms.*

Compr**a** Vend**e**	borsette vestiti	signore signora signorina	?
Cerc**a** il rossetto Perchè non prend**e** questo			

For the formal 'you' **–are** *words* (comprare, cercare) *end in* **–a**
–ere *words* (vendere, prendere) *end in* **–e**

6

Compro	macchine una macchina

I buy *I'm buying* *I'll buy*	*cars* *a car*

Notice that in Italian the same word can be used for saying: what you do (habitually), what you are doing (at the moment), what you will do (quite soon).

TALKING PRACTICE

I **Ecco** *is used when handing people things or pointing to where someone or something is.*

C'è . . . ? *Is there . . . ?*

You're giving a party. Help your guests to find what they're looking for.

C'è un gabinetto qui? *(lavatory)* — Certo. Ecco il gabinetto.

1 C'è un whisky per me? — Certo ....
2 C'è una borsetta sotto il letto? ....
3 C'è una vodka per me? ....
4 C'è un telefono qui? ....

II *You are approached by a shady individual in a backstreet. Avoid his blandishments.*

Prende marijuana? — No, non prendo marijuana.

1 Prende cocaina? *(cocaine)* — No, non ....
2 Parla arabo? ....
3 Vende passaporti? ....
4 Prende la droga? *(drugs)* ....
5 Compra diamanti? ....

III *Shopping scenes. Play the part of overeager sales staff trying to sell two of everything.*

Allora compro questa cravatta. *(tie)* — Perchè non compra due cravatte? Non sono care.

Compro questo rossetto qui. — Perchè non compra due rossetti? Non sono cari.

1 Compro questo vestito. ....
2 Compro quella borsetta lì. ....
3 Compro questo cappello. ....
4 Va bene, compro la macchina. ....
Due macchine per una persona sola. Assurdo!

IV *Speak these lines with fervour as though you were Bertolini's boss planning a new sales-drive.*

Non basta vendere un prodotto, bisogna vendere tutti i prodotti.
Non basta vendere una cravatta, bisogna vendere tutte le cravatte.

1 Non basta vendere un modello, ...
2 Non basta vendere una borsetta, ...
3 Non basta vendere un vestito, ...
4 Non basta parlare una lingua, ...

SYNOPSIS OF COMPREHENSION SCENES

Giulia telephones her mother-in-law, Tina, from a bar outside Rome. As she's dialling she thinks back to the day she took her son, Emilio, to live with Tina after she and Mario had decided to live apart.

After discussing Emilio, Giulia goes to Valentino's studio to take some fashion photographs.

3 TRANSPORTATION: *How far is it to . . . ? How do I get to . . . ?*

LE AVVENTURE DI BERTOLDO BERTOLINI

Inferno – Parte Prima

A street. B.B. lugging a heavy black sample case with a large book under his arm.

Narrator Martedì mattina. Bertoldo parte per Venezia.

At the station ticket-office.

Clerk Dove va, signore?

B.B. Vado a Venezia. A che ora parte il prossimo treno?

Clerk Parte alle dieci e arriva all'una.

B.B. Un biglietto di andata e ritorno, per favore.

On the platform B.B. meets his old friend, Virgilio, who is sitting on a bench.

B.B. Virgilio, carissimo! Dove vai?

Virgilio Vado a Venezia. E tu?

B.B. Anch'io vado a Venezia. Sono in ritardo?

Virgilio No, non sei in ritardo.

B.B. opens book entitled 'Inferno'.

Virgilio Che cosa leggi?

B.B. *(Uppishly)* Leggo la 'Divina Commedia'. *(Reads to himself.)*
'Nel mezzo del cammin di nostra vita,
Mi ritrovai per una selva oscura, . . .'*

B.B. dreams of the edge of a forest where a sign reads 'Lasciate ogni speranza voi ch'entrate'.†

B.B. and Virgilio, dressed as Dante and Virgil, approach a devil with a trident.

Virgilio *(To devil)* Quanto ci vuole da qui al traghetto?

Devil Un'ora, signore.

B.B. La strada è buona?

Devil Sì, ma è pericolosa. Attenzione!

B.B. and Virgilio at the ferry at the head of long queue. Guards with tridents pushing people into the water. B.B. approaches the vicious-looking ferryman.

Narrator Un'ora più tardi.

B.B. Due biglietti di andata e ritorno per l'Inferno. Quant'è?

Ferryman Vendo solo biglietti di andata. Non c'è ritorno! *(Shouts to the other passengers in the queue.)* Presto! Presto!

Virgilio Quanto ci vuole da qui all'Inferno?

Ferryman Solo dieci minuti, signore. *(Again to others)*. Completo! Basta! Basta! *(The queuers groan)*.

The other side of the water. The passengers greeted by armed guards. Another forest with a sign: 'Al Centro' *with the number of kilometres obscured.*

* *The first two lines of Dante's 'Divine Comedy'.*

† *'Abandon all hope ye who enter here'.*

A CHE ORA PARTE IL PROSSIMO TRENO?
QUANTO CI VUOLE DA QUI ALL'INFERNO?
QUANTI CHILOMETRI CI SONO DA QUI AL CENTRO?

Narrator Dieci minuti più tardi.
B.B. *(To Virgilio)* Quanti chilometri ci sono da qui al centro?
Virgilio Non lo so. *(Sees sign)* Un momento, vado a vedere.
Narrator Ma, improvvisamente . . .
The noise of enormous wings beating. B.B. hides behind a tree.
B.B. *(Shouts)* Attenzione, Virgilio! Attenzione!
A huge flying monster carries Virgilio off.
Virgilio Aiuto! Aiuto! Aiuto!
B.B. Troppo tardi.
Narrator Povero Virgilio.

WORDS AND PHRASES

martedì mattina	*Tuesday morning*
a che ora parte il prossimo treno?	*what time does the next train go?*
un biglietto di andata e ritorno	*a return ticket*
per favore	*please*
anch'io vado a Venezia	*I'm also going to Venice*
sono in ritardo?	*am I late?*
quanto ci vuole da qui al traghetto?	*how long'll it take from here to the ferry?*
un'ora più tardi	*an hour later*
quant'è?	*how much is it?*
non c'è ritorno	*there's no return*
quanti chilometri ci sono da qui al centro?	*how many kilometres are there from here to the centre?*
vado a vedere	*I'll go and see*

TEACHING SCENE

A travel agency.
Girl *(On 'phone)* Sì, va bene. Quando comincia il Festival di Firenze? Un momento.
Mario Scusi, il Festival di Firenze comincia il tre maggio.
Girl È sicuro?
Mario Sicurissimo.
Girl *(Impressed)* È di Firenze?
Mario No, sono di Milano.
Girl Ah! Anch'io sono di Milano. *(Picks up the 'phone)* Pronto . . . Il Festival di Firenze comincia il tre maggio . . . Prego . . . Buongiorno. *(Hangs up. The 'phone rings again)* Pronto . . . Sì, Agenzia Bevacqua . . . Ah! Anna . . . *(Sneezes)* Sì, sono raffreddata . . . Anche tu? . . . *(Sighs)* Ah, vai a Londra? Quando parti? . . . E quando torni? . . . Vai in aereo? . . . Ciao e buon viaggio. *(Hangs up. To Mario)* Così anche Lei è di Milano. Che cosa desidera?
Mario Dunque, parto per l'Umbria, ma non so esattamente dove andare.
Girl Ah, l'Umbria! In Umbria ci sono monumenti famosi a Spoleto, Foligno, Assisi e Perugia. A Spoleto c'è un grande festival in maggio.
Mario Luglio. Dal tre al dieci luglio. *(Girl is piqued)* Signorina, quanti chilometri ci sono da Roma a Foligno?
Girl Duecento.

Mario C'è un treno da Roma a Foligno?
Girl Sì. *(Picks up the timetable)* Un momento.
Mario *(Impulsively)* Prendo un biglietto.
Girl Un biglietto? Ma dove va?
Mario A Foligno. Quanto ci vuole?
Girl In treno?
Mario Sì, in treno.
Girl Tre ore.
Mario A che ora parte il treno da Roma?
Girl Alle dieci.
Mario E a che ora arriva?
Girl All'una.
Mario Va bene.
Girl È tutto?
Mario Sì, è tutto. *(Slowly)* Adesso ricordo . . . un monastero . . . in Umbria.
Girl In Umbria? *(Produces map of Umbria)*
Mario *(Looking at map)* Sì, è questo: il monastero di San Paolo a Montefiore.
Girl Un monastero? È un monaco?
Mario Io? No, non sono un monaco. Sono un pittore.
Girl Allora quando parte?
Mario Parto domani mattina.
Girl Allora, un biglietto di seconda da Roma a Foligno per domani mattina. Va bene?
Mario Va bene.
Girl Ecco il biglietto. Signor . . . ?
Mario Crespi, Mario Crespi.

WORDS AND PHRASES

quando comincia?	*when does it begin?*
il tre maggio	*the third of May*
sono raffreddata	*I've got a cold*
vai in aereo?	*are you going by 'plane?*
ciao e buon viaggio	*good-bye and have a good journey*
dal tre al dieci luglio	*from the third to the tenth of July*
adesso ricordo	*now I remember*
non sono un monaco . . . sono un pittore	*I'm not a monk . . . I'm a painter*

EXPLANATIONS

1 ***How long'll it take to get from . . . ? How far is it from . . . ?***

Quanto ci vuole **Quanti chilometri ci sono**	**da**	Roma qui	a Venezia al centro alla stazione all'Inferno	?

How to ask when trains, buses, etc., arrive or leave:

Quando **A che ora**	**parte** **arriva**	il treno l'autobus	**per** **da**	Roma Venezia	?

2 ***The word that covers the formal 'you' also covers 'he', 'she' and 'it' situations:***

quando **parte**? — *when are you leaving?*
a che ora **parte** Silvia? — *what time does Silvia leave?*
quando **arriva**? — *when do you arrive?*
a che ora **arriva** l'autobus? — *what time does the bus arrive?*

3 ***Two words which do not follow the regular*** **–are** ***and*** **–ere** ***patterns are:***

andare	*to go*	**essere**	*to be*
vado	*I go*	**sono**	*I am*
vai	*you go (on* tu *terms)*	**sei**	*you are (on* tu *terms)*
va	*you go (formal)* *he, she, it goes*	**è**	*you are (formal)* *he, she, it is*

4 l'ultimo treno
l'altra donna
l'Inferno

Don't use il *or* la *when the next word begins with a vowel.*

5 all'una — *at one o'clock*
alle dieci — *at ten o'clock*
alle tre — *at three o'clock*

TALKING PRACTICE

I *Listen to the teaching scene on the record and read it through again before answering these questions.*

Mario è di Firenze o di Milano? — È di Milano.

1 Va a Londra o a Foligno? ....
2 Parte oggi o domani? ....
3 Va in macchina o in treno? ....
4 È un monaco o un pittore? ....

II *What a coincidence!*

Davvero? *Really?*

1 Vado a Roma domani.	Davvero? Anch'io ....
2 Vado in aereo.	Davvero? ....
3 Parto alle dieci.	....
4 Vado a comprare una nuova macchina.	....
Una Fiat?	No, una Rolls-Royce.

III *You are a travel agent. Deal with this tourist who doesn't realise that Stromboli is a tiny island* (un'isola) *that can only be reached by boat.*

Prendo il prossimo aereo per Stromboli.	Ma non c'è un aereo da qui a Stromboli.
1 Allora vado in treno.	Ma non c'è ....
2 Allora prendo il prossimo autobus.	....
3 Allora prendo un taxi.	....
Perchè?	Stromboli è un'isola. Bisogna prendere il traghetto.

IV *You have just left the boss's office with details of your new assignment. Satisfy the idle curiosity of the girl from the typing pool.*

Dove va, signor Bertolini?	Vado a Venezia.
1 Parte domani?	No, ... oggi.
2 Va in aereo?	.... treno.
3 A che ora arriva?	.... all'una.
4 E quando torna?	.... domani.
Buon viaggio, allora.	

V *You are the mother of a spineless aristocrat telling him what to do. Use the confidential* (tu) *form throughout.*

Mamma, non so dove andare.	Perchè non vai a Venezia?
1 Non so come andare.	.... in macchina?
2 Non so che strada prendere.	.... l'autostrada?
3 Non so quando tornare.	.... domani?
4 Non so con chi andare.	.... con la contessa?
Va bene, mamma, vado con la contessa.	

SYNOPSIS OF COMPREHENSION SCENES

Whilst working in the dark-room in her Rome flat Giulia is 'phoned by her lawyer, Patrizio Sella, who wants to know the whereabouts of the monastery where Mario is now living. The conversation makes Giulia think back to the day she and Mario said good-bye to one another at the railway-station.

Giulia crosses Rome to the offices of 'Primavera' – a leading women's magazine – where the editor, Isa, asks her to do a photo-story on 'San Marcello', a controversial holy man.

4 LOCATING:
Where is/are the . . . ? Is there a . . . near here?

LE AVVENTURE DI BERTOLDO BERTOLINI

Inferno—Parte Seconda

B.B. alone at the edge of the forest looking up at the sky where Virgilio is being carried off by the monster.

Narrator Bertoldo è solo e non sa dove andare.

B.B. *(Thinks)* Sono solo.

Deeper in the forest B.B. encounters a satanic road-mender. In the distance a chain-gang.

B.B. *(To road-mender)* Mi scusi, come arrivo al centro?

Road-mender C'è un vigile là in fondo. Ha una pianta dell'Inferno.

In the chain-gang B.B. sees his boss.

B.B. *(Thinks)* Anche lui è qui!

Boss Bertolini! Bertolini! Aiuto! Aiuto!

B.B. *(Falsely compassionate)* Signor direttore! Come mai? Anche Lei qui in questo inferno?

Boss *(Whining)* Purtroppo. Ha una sigaretta?

B.B. Ho un sigaro. Va bene?

Boss Grazie.

B.B. *(Gives Boss big cigar)* Ha un fiammifero? *(Boss lights up from flame out of hole in ground)* Ah! Scusi. *(B.B. catches sight of Flavia in torment)* Ma quella è Flavia. Anche lei è qui?

Boss Purtroppo, anche lei.

The guard comes up to B.B.

Guard È vietato parlare con i prigionieri!

B.B. Scusi, ma non hanno sigarette. Vado bene per il centro?

Guard *(Rapidly)* Sì, sì, prende la prima strada a destra, poi la seconda a sinistra. Dopo un chilometro trova un bar: il Bar Angelo. Prima del bar ci sono i gabinetti e l'ufficio postale e dopo il terzo semaforo . . .

B.B. Piano, piano, non capisco.

The guard takes B.B. to a large map of the Inferno.

Guard Allora, prende la prima strada a destra, poi la seconda a sinistra.

B.B. Sì, e poi?

Guard Dopo un chilometro trova un bar: il Bar Angelo. Prima del bar ci sono i gabinetti e l'ufficio postale e dopo il terzo semaforo è in centro.

B.B. Un'altra cosa. Questa è l'unica strada per il centro?

Guard *(Diabolical laughter)* L'unica strada? Tutte le strade vanno all'Inferno!

B.B. on a desert road surrounded by flames and bleached bones.

B.B. Sono stanco. Che caldo!

In the distance he sees a bar.

B.B. Finalmente, il bar!

B.B. at the bar. It's really only a small booth standing on a cliff with a good view over a valley.

B.B. *(To waiter)* Ma questo non è il Bar Angelo.

Waiter No, signore. Questo è il Bar Centrale.

B.B. Non importa. Una birra, per favore. C'è un telefono qui?

Waiter Il telefono non è necessario, qui all'Inferno.

COME ARRIVO AL CENTRO?
DOPO UN CHILOMETRO TROVA UN BAR: IL BAR ANGELO. PRIMA DEL BAR CI SONO I GABINETTI E L'UFFICIO POSTALE E DOPO IL TERZO SEMAFORO È IN CENTRO.

B.B. looks down into the valley. He sees the devil himself flanked by Al Capone and Paganini watching a group of priests, etc. playing roulette.

B.B. Santo cielo! Un prete! Un cardinale! Un papa!

Waiter Certo, ci sono molti preti e cardinali . . . e adesso c'è anche un commesso viaggiatore! *(The waiter pushes B.B. off the cliff)*

Narrator È questa la fine di Bertoldo?

WORDS AND PHRASES

non sa dove andare	*he doesn't know where to go*
là in fondo	*over there*
ha una pianta	*he's got a map*
anche lui è qui	*he's here too*
come mai!	*how on earth!*
è vietato parlare	*it's forbidden to speak*
vado bene per il centro?	*is this the right way for the centre?*
prende la prima strada a destra	*you take the first road on the right*
la seconda a sinistra	*the second (road) on the left*
ci sono i gabinetti	*there are lavatories*
dopo il terzo semaforo	*after the third set of traffic-lights*
piano, non capisco	*slowly, I don't understand*
un'altra cosa	*another thing*
che caldo!	*it's hot!*
non importa	*it doesn't matter*
e adesso c'è anche un commesso viaggiatore	*and now there's a commercial traveller too*

TEACHING SCENE

Giulia has been given 'San Marcello's' address. She asks a policeman the way in a small town outside Rome.

Giulia Scusi, sa dov'è Via San Michele?

Policeman Dunque, prende la seconda strada a sinistra e va sempre diritto. Arriva in una piazza: Piazza Battisti. Lì gira a destra e prende Via Mazzini.

Giulia *(Tries to memorize)* Arrivo in una piazza . . .

Policeman Arriva in Piazza Battisti. Lì gira a destra e prende Via Mazzini.

Giulia Va bene. E poi?

Policeman E poi prende la seconda a sinistra; c'è una pensione all'angolo . . .

Giulia Prendo la seconda a sinistra . . .

Policeman E quella è Via San Michele. Che numero cerca?

Giulia Il numero sette.

Policeman Il numero sette è prima di un ristorante e dopo una farmacia.

Giulia Grazie mille.

Policeman Prego, signora.

Giulia goes. We next see her questioning a woman passer-by in the Via San Michele.

Giulia Scusi, cerco il numero sette.

Woman Il numero sette? *(Points)* È quello.

Giulia *(Looks)* Ma quello è il numero cinque.
Woman *(Points)* E quello?
Giulia *(Looks)* Il numero nove.
Woman Allora il numero sette non esiste.
Giulia *(Impatiently)* C'è un ristorante qui vicino?
Woman *(Laughs)* Ci sono cinque o sei ristoranti qui vicino!
Giulia Allora c'è una farmacia qui vicino?
Woman Una farmacia? Qui? No.
Giulia Una pensione?
Woman Ah, cerca una pensione. Dunque, continua per questa strada, prende la prima a sinistra e trova una pensione. Non è lontano da qui: poco dopo Piazza Battisti.
Giulia Non cerco una pensione. Cerco il numero sette di questa strada.
Woman Ma il numero sette non esiste.
Giulia Impossibile!
Woman Perchè non va al numero diciassette?
Giulia leaves and goes into a bar to telephone.
Giulia *(On 'phone)* Pronto. Isa, sono Giulia . . . Ciao. Sono in Via San Michele. Cerco il numero sette, ma non esiste . . . No . . . hai un altro indirizzo? . . . Come? . . . Via Confalonieri . . . Sai il numero? . . . Come arrivo a Via Confalonieri? . . . Va bene, prendo un taxi.

WORDS AND PHRASES

va sempre diritto	*you go straight on*
lì gira a destra	*there you turn right*
all'angolo	*at the corner*
il numero sette non esiste	*number seven doesn't exist*
prima di un ristorante	*before a restaurant*
c'è una farmacia qui vicino?	*is there a chemist's around here?*
non è lontano da qui	*it's not far from here*
hai un altro indirizzo?	*do you have another address?*

EXPLANATIONS

1 ***Asking the way:***

Vado bene per	il centro la stazione	?	*Is this the right way to . . . ?*

Come arrivo	al centro alla stazione a Via Garibaldi	?	*How do I get to . . . ?*

C'è	un telefono una farmacia	**qui vicino**	?	*Is there a . . . near here?*

2 ***Nouns ending in* –e**

il ristorante **la** pensione
il prete **la** fine

It's important to remember whether these words are in the **il** *group or the* **la** *group, as it affects the pattern of the whole sentence:*

Quest**o** ristorante è car**o**. Quest**a** pensione è car**a**.

3 ***Two more words which do not follow the regular* –ere *patterns:***

avere	*to have*	**sapere**	*to know*
ho	*I have*	**so**	*I know*
hai	*you have (confidential)*	**sai**	*you know (confidential)*
ha	*you have (formal)*	**sa**	*you know (formal)*
	he, she, it has		*he, she, knows*

Remember that the same word covers both formal 'you', and 'he', 'she', 'it' situations.

TALKING PRACTICE

I *Listen to the cartoon story on the record and read the text before answering these questions.*

Bertoldo sa dove andare? No, non sa dove andare.
Ha un sigaro? Sì, ha un sigaro.

1 Il direttore ha una sigaretta? ....
2 I prigionieri hanno sigarette? ....
3 Hanno sigari? ....
4 Il Bar Centrale ha il telefono? ....

II

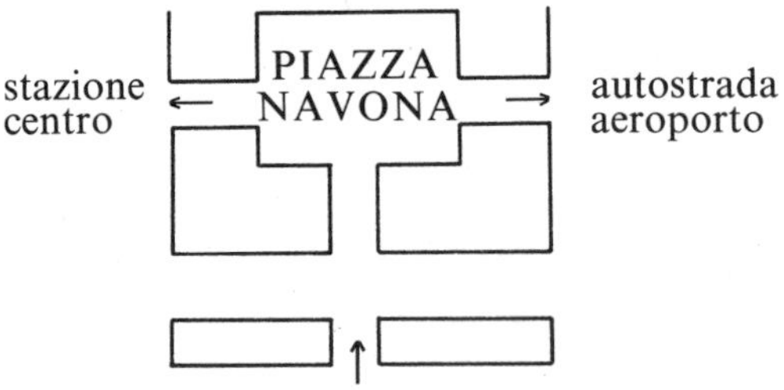

stazione centro ← PIAZZA NAVONA → autostrada aeroporto

↑

Mi scusi, vado bene per l'aeroporto? Sì, sì. Va sempre diritto e quando arriva in Piazza Navona gira a destra.

Repeat this dialogue giving directions appropriate for the station, motorway and town centre.

1 .... la stazione? ....
....
2 .... l'autostrada? ....
....
3 .... il centro? ....
....

III

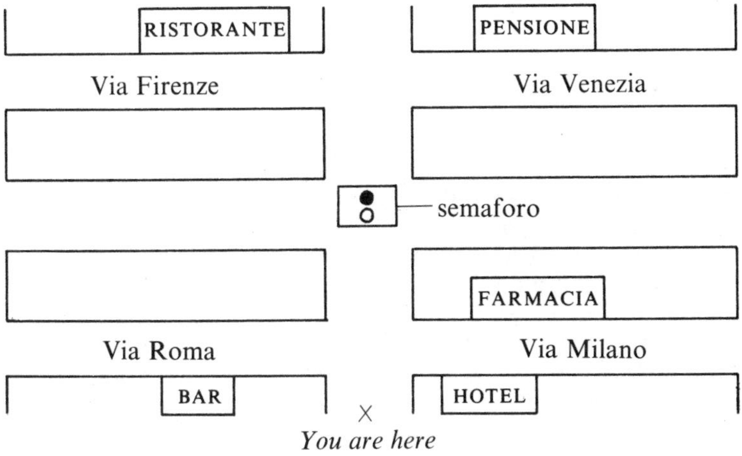

RISTORANTE | PENSIONE

Via Firenze | Via Venezia

semaforo

FARMACIA

Via Roma | Via Milano

BAR | HOTEL

X
You are here

C'è un hotel qui vicino? — Sì, c'è un hotel in Via Milano.
Come arrivo a Via Milano? — Gira a destra prima del semaforo.

Use the map to create four more dialogues on this model.

1 C'è........ pensione.................................? Sì,.................... in Via Venezia.
Come...? Gira............ dopo il semaforo.
2 ....ristorante.................................? ....
....? ....
3 ....farmacia.................................? ....
....? ....
4 ....bar.......................................? ....
....? ....

IV *The tourist you're taking round Hell is surprised every time he sees a VIP. Explain that* qui all'Inferno *(here in Hell) there are plenty more of these sorts of people.*

C'è un cardinale lì! — Qui all'Inferno ci sono molti cardinali.
1 C'è un generale lì! ....
2 C'è un senatore lì! ....
3 C'è un presidente lì! ....

SYNOPSIS OF COMPREHENSION SCENES

Giulia tells her close friend, Claudia, that she's about to go to Umbria to find 'San Marcello'.
Giulia goes home to pack. The sight of her portrait makes her think back to the day when Mario painted it.
Her reverie is interrupted by a 'phone-call from a girl called Francesca who wants to know where Mario is.

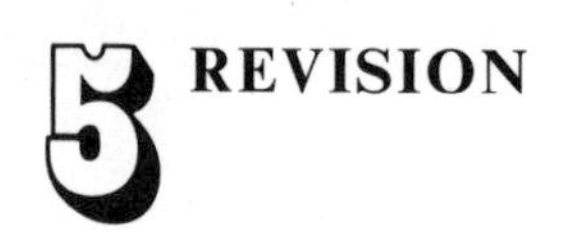

REVISION

LE AVVENTURE DI BERTOLDO BERTOLINI

Pensione Laguna

B.B. is falling into Hell. His dream ends as he falls off the station bench.

B.B. Dove sono?

Virgilio Sei alla stazione. Calma, è solo un sogno.

B.B. Un brutto sogno!

Announcer Il treno per Venezia è in partenza dal binario numero tre.

Virgilio Presto, il treno parte.

In the train B.B. is sitting next to a girl. Virgilio and a priest opposite.

Virgilio Perchè vai a Venezia?

B.B. Domani ho un appuntamento con quattro clienti stranieri: un francese, un inglese, un tedesco e un americano.

Virgilio Ma, parli tutte queste lingue?

B.B. No, parlo solo italiano. E tu perchè vai a Venezia?

Virgilio Ci vado in vacanza.

B.B. Ci vai da solo?

Virgilio No, mia moglie arriva stasera in aereo.

B.B. Fortunato!

Virgilio Bertoldo, che cosa vendi?

B.B. Vendo diverse cose: vestiti da donna, da uomo e anche biancheria intima. *(Hands him a catalogue)* Questo è il nuovo catalogo.

Virgilio *(Looks at catalogue)* Hm! Interessante!

Virgilio and the priest enjoy the pictures. The train arrives in Venice.

Narrator Tre ore dopo. Il treno arriva a Venezia.

Virgilio Bertoldo, dove vai adesso?

B.B. Vado a cercare una pensione.

Virgilio Ne conosco una qui vicino. Non è cara.

B.B. Come si chiama?

Virgilio Pensione Laguna.

Narrator Bertoldo va a cercare un vigile.

B.B. approaches a policeman.

B.B. *(To policeman)* Mi scusi, sa dov'è la Pensione Laguna?

Policeman Certo, è qui vicino. Prende la prima strada a destra e va sempre diritto. Dopo il Bar Americano trova un ponte. Prima del ponte gira a sinistra e trova una piazza. La Pensione Laguna è lì in piazza.

B.B. Ho capito. Quanto ci vuole?

Policeman Solo cinque minuti.

B.B. arrives at the Pensione Laguna.

Narrator Mezz'ora dopo. Bertoldo arriva alla pensione.

He rings impatiently. The landlady appears.

B.B. Scusi, ha una camera?

Landlady Ne ho una al secondo piano. Per quante persone?

B.B. Per me.

Landlady E per quanti giorni?

B.B. Per un giorno solo.

Landlady Va bene. La camera è millecinquecento lire.

CI VAI DA SOLO?
CI VADO IN VACANZA.
VADO A CERCARE UNA PENSIONE.
NE CONOSCO UNA QUI VICINO.
SCUSI, HA UNA CAMERA?
NE HO UNA AL SECONDO PIANO.

B.B. and landlady climb the dingy stairway and arrive in a dirty bedroom.

B.B. Non ne ha un'altra?
Landlady No, è l'unica. Ecco la chiave.
B.B. *(Submissive)* Va bene . . .

WORDS AND PHRASES

è solo un sogno	*it's only a dream*
il treno per Venezia è in partenza	*the train for Venice is about to leave*
ho un appuntamento	*I've got an appointment*
ci vai da solo?	*are you going there on your own?*
vado a cercare una pensione	*I'm going to look for a boarding house*
come si chiama?	*what's it called?*
sa dov'è* la Pensione Laguna?	*do you know where the Pensione Laguna is?*
ho capito	*I've got it, I understand*
ne ho una al secondo piano	*I've got one (room) on the second floor*
per un giorno solo	*only for one day*
non ne ha un'altra?	*haven't you got another one?*

*note: dove *where*
dov'*è where is*

EXPLANATIONS

The scenes in this programme consolidate the patterns you have already learnt. Meanwhile here are two additional items:

1 **ci** *is used to avoid tedious repetitions when talking about places. In these examples it corresponds to the English 'there'.*

Vado a Milano.
– Quando **ci** vai? (Quando vai **a Milano**?)

Perchè vai a Venezia?
– **Ci** vado in vacanza. (Vado **a Venezia** in vacanza.)

2 **ne** *is used to avoid tedious repetitions when talking about quantity. It's rather like the English 'of them'.*

Ha una segretaria?
– Sì, **ne** ho due. (Sì, ho due **segretarie**.)

La camera è millecinquecento lire.
– Non **ne** ha un'altra? (Non ha un'altra **camera**?)

It's difficult for an English person to get the 'ne' *habit as we usually omit 'of them'.*

TALKING PRACTICE

I *Listen to the cartoon story on the record and read the text before answering.*

Bertoldo è con un amico? — Sì, è con un amico.

1 Perde il treno? — No, non ....
2 È in vacanza? — ....
3 Ha un appuntamento con una ragazza? — ....
4 Ha un appuntamento con quattro clienti? — ....
5 Bertoldo parla inglese? — ....
6 Vende macchine? — ....
7 Vende vestiti? — ....

II **anche lui** **anche lei**

Bertoldo va a Venezia, ma dove va il prete? — Anche lui va a Venezia.

1 E la signorina? — Anche ....
2 E Virgilio? — ....
3 E la moglie di Virgilio? — ....
Ho capito. Oggi tutti vanno a Venezia.

III *Explain that you're late and can't afford to travel as slowly as is being suggested.*

Va a piedi? — No, sono in ritardo. Vado in taxi.

1 Va in autobus? — .... in macchina.
2 Prende il treno? — .... l'aereo.
3 Prende il tram? — .... l'elicottero. *(helicopter.)*

IV *Get the* **ne** *habit.*

You're the barman. Encourage your customers to have another.

È buona questa birra. — Ne prende un'altra, signore?
Questo vino è buonissimo. — Ne prende un altro, signore?

1 Questa vodka è molto buona. — ....
2 È buono questo whisky. — ....
3 Mmm, questa grappa! — ....
4 È molto buono questo cognac. — ....

V *Get the* **ci** *habit.*

You've just decided to put off your tour of Italy till tomorrow and all your dates are put back one day. This is the first your butler's heard about it.

Allora, signora, va a Firenze il due? — No, ci vado il tre.

1 Va a Pisa il cinque? — .... sei.
2 Va a Roma l'otto? — ....
3 Va a Napoli il dodici? — ....
4 Va a Sorrento il quattordici? — ....
5 Va a Palermo il diciassette? — ....
6 Ho capito. Ma va a Bologna oggi? — ....
Come? Non parte oggi? — No, sono stanca e un po' raffreddata.

VI *What's the time?* **Che ora è?** *or* **Che ore sono?**

Che ore sono? — Sono le sei.

Che ora è? — Sono le sei e mezzo.

1 Sa che ora è? ....

2 Mi scusi, che ore sono? ....

3 Sa che ore sono? ....

4 Che ora è, per favore? ....

5 Sa l'ora, per favore? — È l'una.

6 Che ore sono? ....

SYNOPSIS OF COMPREHENSION SCENES

At the monastery, where he's gone to think over his marriage and his career, Mario talks to a friendly monk. The monk's quiet humility contrasts sharply with Mario's glamorous days as a society painter in Rome.

Later, in his cell, he is surprised by Francesca, an art-student with whom he had an affair before coming to the monastery. At first he's extremely annoyed that she's pursued him . . .

GRAMMAR SUMMARY: PROGRAMMES 1–5

1

SINGULAR	PLURAL
un sigar**o**	due sigar**i**
un ristorant**e**	due ristorant**i**
una pension**e**	due pension**i**
una ragazz**a**	due ragazz**e**

2 *The basic pattern for* –are *and* –ere *verbs*

parl**are**	
parl**o** parl**i** parl**a**	tedesco

perd**ere**	
perd**o** perd**i** perd**e**	tutto

Key –are *verbs:* arrivare, cercare, comprare, fumare, girare, guardare, parlare, tornare, trovare.

Key –ere *verbs:* p**e**rdere, pr**e**ndere, ved**e**re, v**e**ndere.

3 *Irregular verbs*

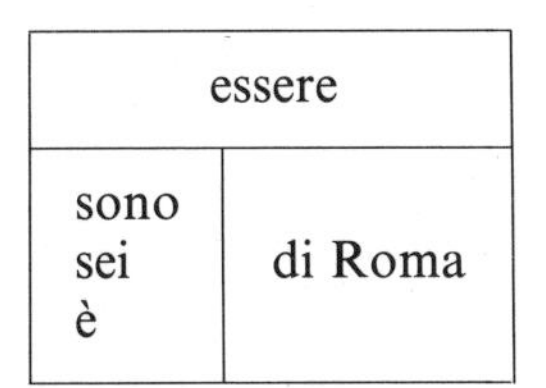

essere	
sono sei è	di Roma

avere	
ho hai ha	una chiave

sapere	
lo	so sai sa

andare	
vado vai va	a Roma

6 WANTING:
How to say what you want, or want to do.

LE AVVENTURE DI BERTOLDO BERTOLINI

Casinò

B.B. with his sample case outside the Grand Hotel in Venice.

Narrator Bertoldo arriva al Grand Hotel.

Inside the hotel. In the bar at 6 p.m. a beautiful blonde is having a cocktail.

B.B. Vorrei un caffè, per favore.

Barman Lo prende al tavolo?

B.B. *(Noticing blonde)* No, lo prendo qui al banco.

The blonde is joined by a man in tuxedo.

Man Dove vuoi andare stasera, tesoro? Al cinema?

Blonde No, non voglio andare al cinema, voglio andare al Casinò.

B.B. *(Thinks)* Anch'io vorrei andare al Casinò, ma non ho una lira.

Ten minutes later B.B. at the main reception desk.

Narrator Dieci minuti più tardi.

B.B. Mi chiamo Bertolini. Sono il rappresentante della ditta Granata.

Receptionist Ah! Bertolini: sala conferenze, al primo piano.

Bell-Boy Porto la valigia, signore?

B.B. No, la porto io.

Bell-boy *(Shrugs)* Come vuole.

Conference room. B.B. and several clients. A rack of clothes nearby.

B.B. Signore e signori, benvenuti a Venezia. Vorrei ora presentare i nuovi modelli Granata. *(Waves catalogue)* In questo catalogo c'è tutto: misure, colori e prezzi. *(Points to rack)* E lì ci sono i modelli. Chi vuole un catalogo?

Claude Io.

Richard Anch'io ne vorrei uno.

B.B. Anche Lei vuole un catalogo, signora?

Lotte No, grazie.

B.B. Prego. *(They all begin to study the catalogue and the clothes.)*

Claude Belli, questi modelli. Li compro.

Lotte Sono ridicoli!

Mary Assurdi!

Laura Ha ragione!

Lotte Questo è orribile.

Kurt Che brutto!

B.B. *(Thinks)* Che barba! Vorrei essere lontano da questa confusione.

B.B. dreams of the Casino. Splendidly dressed, he's with the blonde from the Grand Hotel bar and he's losing millions.

Blonde Bertoldo, tesoro, vuoi perdere tutto?

B.B. Non importa. È importante giocare, non vincere o perdere.

Blonde Ma perdere così tanto! Hai solo un milione.

B.B. Non importa, lo gioco tutto sul dieci.

He puts his million on number ten. The ball settles.

Croupier Dix! Noir! Pair!

All Dieci! Dieci! Il dieci vince!

ANCH'IO NE VORREI UNO.
ANCHE LEI VUOLE UN CATALOGO, SIGNORA?
BERTOLDO, TESORO, VUOI PERDERE TUTTO?
VORREI UN CAFFÈ, PER FAVORE.
LO PRENDE AL TAVOLO?

Back in the reality of the conference room in the Grand Hotel.

Claude Dieci! Il modello numero dieci. Ne voglio mille.
B.B. Quanti ne vuole?

WORDS AND PHRASES

vorrei un caffè	*I'd like a coffee*
lo prendo qui al banco	*I'll take it here at the bar*
non voglio andare	*I don't want to go*
non ho una lira	*I'm broke*
mi chiamo Bertolini	*my name's Bertolini*
no, la porto io	*no, I'll carry it*
come vuole	*as you wish*
anch'io ne vorrei uno	*I'd also like one of them*
ha ragione	*you're right*
che barba!	*what a bore!*
ma perdere così tanto	*but to lose so much*

TEACHING SCENE

Giulia arrives in a small town not far from Rome. She enters a shop that sells religious objects.

Assistant Buongiorno, signora. *(Giulia is looking perfunctorily at cheap sacred paintings)* Vuole comprare questo quadro? È l'ultimo: lo vendo a poco prezzo.
Giulia No grazie, vorrei . . .
Assistant Ne vuole uno più grande?
Giulia No, grazie. *(Touches a statuette)*
Assistant Vuole questa piccola statua di San Giuseppe? È molto bella.
Giulia *(Uninterested)* Va bene. La compro, ma . . .
Assistant La vuole con la scatola o senza scatola?
Giulia Non importa, la prendo senza scatola. *(Giulia looking at medallions)*
Assistant Quello è San Cristoforo. Vuole comprare un piccolo San Cristoforo?
Giulia Ne ho già uno, grazie. *(Looking around)* Quanti santi! Dove li trova?
Assistant *(Quickly)* Li compro da una fabbrica di oggetti sacri. *(Sharply)* Vuole altro?

Giulia walks around followed by shop assistant. She turns suddenly to him.

Giulia Cerco un santo.
Assistant *(Pointing)* San Cirillo? *(Giulia shakes her head)* San Francesco? San Sebastiano? San . . .
Giulia Cerco un santo vero. *(The shop assistant is aghast)* Lo so, lo so, tutti questi santi sono veri, ma . . . *(Gently and confidentially)* vorrei trovare un santo vivo.
Assistant Vivo?
Giulia *(Sharply)* Sì, vivo. Voglio trovare un santo vivo.
Assistant Santi vivi, cara signora? Non li vendo.

Giulia moves to a revolving stand with postcards.

Assistant Vuole cartoline?

Giulia Sì, grazie.
Assistant Quante ne vuole?
Giulia Ne prendo dieci: cinque di San Francesco e cinque di San Marcello.
Assistant Non ho San Marcello. Vuole un altro santo?
Giulia *(Determined)* No, voglio San Marcello.
Assistant Vorrei sapere chi è questo San Marcello.
Giulia Anch'io.
Assistant Le cartoline di San Francesco sono tutte in bianco e nero.
Giulia Va bene, le prendo in bianco e nero. E San Marcello?
Assistant Non lo vendo, io. *(Sharply)* Vuole altro?
Giulia Sì, vorrei un'informazione. Dov'è la chiesa di Santa Cecilia?
Assistant *(Courteously)* Ah! Vuole una cartolina con la chiesa di Santa Cecilia? *(Turns around to look for the postcard, finds it, turns back to Giulia. She has gone)* Ma, signora . . .

WORDS AND PHRASES

è l'ultimo	*it's the last one*
a poco prezzo	*cheaply*
ne vuole uno più grande?	*do you want a bigger one (of them)?*
ne ho già uno	*I've already got one (of them)*
quanti santi!	*what a lot of saints!*
li compro da una fabbrica	*I buy them from a factory*
vuole altro?	*do you want anything else?*
le prendo in bianco e nero	*I'll take them in black and white*

EXPLANATIONS

1 ***How to say 'I want', 'I don't want', 'I'd like'***

Voglio **Non voglio**	l'altra camera questo tavolo andare in aereo

Vorrei	un caffè sapere il prezzo

2 ***How to say 'Do you want . . . ?'***

Vuoi	vedere la chiesa	Anna	?
Vuole	una sigaretta	signore	

3 *How to say what someone else wants*

Mario La signora	**vuole**	tre cartoline andare in vacanza

4 *How to say 'him', 'her', 'it', 'them'*

THINGS

Prende	**il** vestito **la** borsetta **i** guanti **le** calze	?	Sì, No, non	**lo** **la** **li** **le**	prendo

PEOPLE

Chi è	**il** signor Landi **la** signora Riva	?	Non	**lo** **la**	conosco
Chi sono	**i** due francesi quell**e** ragazze			**li** **le**	

TALKING PRACTICE

I *Listen to the cartoon story on the record and read the text before answering these questions.*

Bertoldo prende il caffè al banco o al tavolo? Lo prende al banco.

1 Vede la bionda al Grand Hotel o alla Pensione Laguna? ....
2 Presenta i nuovi modelli al Grand Hotel o alla pensione? ....
3 Gioca l'ultimo milione sul venti o sul dieci? ....

Bertoldo vuole andare al Casinò? Sì, vuole andare al Casinò.

4 Bertoldo vuole parlare con la bionda? ....
5 La bionda vuole andare al cinema? No, non ....
6 L'amico della bionda vuole parlare con Bertoldo? ....

II *It's nice having dreams!*

spendere *to spend* nel sogno *in the dream*

Bertoldo vuole **spendere** milioni. Nel sogno **spende** milioni.
Vuole **andare** al Casinò. Nel sogno **va** al Casinò.

1 Vuole **andare** a giocare alla roulette. ....
2 Vuole **avere** una bell'amica. ....
3 Vuole **essere** ricco. ....
4 Vuole **parlare** con la bionda. ....
5 Vuole **perdere** e **vincere** milioni. ....
È bello sognare!

III *A businessman passing through Rome has promised a friend in Dublin to pick up some saints for him. Complete the conversation with the Roman shopkeeper.*

Allora, quadri di San Patrizio.
Quanti ne vuole? — Ne vorrei due o tre.

1 Poi, statue di Santa Brigida.
Quante ne vuole? (4–5) ....
2 Quadri di San Kevin.
..........? (6–7) ....
3 Fotografie di Santa Barbara.
..........? (8–9) ....
4 E cartoline di Santa Silvia.
..........? (9–10) ....

È tutto, signore? — Sì, basta così.

IV *You're still the mother of the spineless aristocrat. He's about to go off on another holiday. In the meantime keep him tied to your apron-strings.*

imbucare una lettera *to post a letter*

Mamma, vado a imbucare le lettere. — No, le imbuco io.
Allora vado a comprare i sigari per papà. — No, li compro io.

1 Vado a prendere la macchina? ....
2 Vado a preparare la valigia allora? ....
3 Vado a prendere il passaporto? ....
4 Vado a comprare i biglietti all'agenzia? ....

V **con o senza**

Venti sigarette, per favore. — Le vuole con filtro o senza?
Un caffè, per favore. — Lo vuole con zucchero o senza?
(sugar)

1 Vorrei un tè. — ....limone ....?
(lemon)
2 Due gelati, per favore. — ....panna ....?
(whipped cream)
3 Vorrei un whisky. — ....acqua ....?
(water)
4 Vorrei due cappuccini. — ....zucchero..........?

SYNOPSIS OF COMPREHENSION SCENES

Giulia continues her search for 'San Marcello' in a village in Umbria. She questions a priest and a policeman. The priest is sceptical of rumoured miracles. The policeman is more precise and mentions an abandoned village where the 'saint' may be found.

7 THE PAST: *Talking about things you have done.* POSITION: *It's on the table . . They're in the case.*

LE AVVENTURE DI BERTOLDO BERTOLINI

Il Ladro

B.B., looking miserable, on a street in Venice.

Narrator Il povero Bertoldo ha perso la valigia con i vestiti. Va all'ufficio oggetti smarriti.

The lost property office. A clerk is reading a newspaper. Behind him rows of lost black suitcases.

B.B. Scusi, ho perso la mia valigia. Ha trovato una valigia nera?

Clerk *(Laughing)* Una valigia nera?

B.B. *(Pointing to a suitcase)* Eccola! Eccola! Quella è la mia valigia.

The clerk takes down the suitcase.

Clerk Dove ha perso la valigia?

B.B. Non lo so. Forse al Grand Hotel o alla stazione, o sul vaporetto. Ma questa è la mia valigia, ne sono sicuro.

Clerk *(Dubious)* Hm, sa che cosa c'è nella valigia?

B.B. Certo, ci sono trenta vestiti . . . *(Embarrassed)* vestiti da donna . . . *(Trying to remember)* cinque neri e cinque rossi . . . modelli per ogni stagione . . . modelli sportivi . . . e modelli eleganti . . .

Clerk *(Thinks)* Vestiti da donna?

He looks at newspaper where he reads: 'Mille vestiti da donna rubati a Venezia'.

Clerk *(Thinks)* Vestiti da donna. *(Opens suitcase)* Eccoli! Ho trovato il ladro! *(He imagines a large reward, then turns to B.B.)* Un momento: voglio parlare con il mio capo. *(Unseen by B.B., he goes to the telephone.)*

Clerk Pronto? Polizia? Ho trovato il ladro, il ladro dei vestiti. È qui all'ufficio oggetti smarriti.

Policeman Arrivo subito.

Clerk Presto! Presto! *(He turns to face the now impatient B.B.)* Il mio capo arriva subito.

B.B. Quante storie!

Clerk Cosa ha detto?

B.B. Non ho detto niente.

Several minutes later, the police arrive.

Policeman Dov'è il ladro?

Clerk *(Pointing to B.B.)* Eccolo! È lui il ladro.

Policeman E i vestiti rubati?

Clerk *(Pointing to the case)* Eccoli: sono tutti nella valigia.

B.B. C'è un errore! Non sono un ladro! Sono innocente!

Policeman *(Drily)* Sono tutti innocenti!

At the police-station. B.B. is taken before the inspector.

Policeman Bertoldo Bertolini, avanti.

Inspector Documenti, per favore.

B.B. Documenti? *(Fumbling in pockets)* Non li trovo: sono al mio albergo.

Inspector Come si chiama l'albergo?

B.B. Pensione Laguna.

Inspector Hm. E dove ha passato mercoledì sera?

COSA HA DETTO?
NON HO DETTO NIENTE.

SCUSI, HO PERSO LA MIA VALIGIA. HA TROVATO UNA VALIGIA NERA?
DOV'È IL LADRO?

B.B. *(Involuntarily)* Al Casinò . . . voglio dire al Grand Hotel.
Inspector Pensione! Casinò! Grand Hotel! *(Sarcastically)* Spiritoso! S'accomodi!
B.B. is marched off to a cell by two large policemen.
Narrator Povero Bertoldo! Ha trovato la valigia, ma ha perso la libertà!

WORDS AND PHRASES

ha perso la valigia	*he's lost his case*
ne sono sicuro	*I'm sure of it*
eccola	*there it is*
ho trovato il ladro	*I've found the thief*
cosa ha detto?	*what did you say?*
dove ha passato mercoledì sera?	*where did you spend Wednesday evening?*
voglio dire	*I mean*

TEACHING SCENE

Renzo in the changing room after a training session. He's half-dressed and in a hurry. Italo enters from the showers.
Italo Hai già fatto la doccia?
Renzo Sì.
Italo Non hai perso tempo.
Renzo Solo due minuti. Hai visto le mie scarpe?
Italo *(Points)* Eccole.
Renzo Dove?
Italo Sulla sedia. *(Drying himself)* Hai fatto un'altra conquista?
Renzo Cosa vuoi dire?
Italo Lo sai benissimo: hai trovato un'altra ragazza. Come si chiama?
Renzo Si chiama Vittoria. È la prima vittoria della mia vita.
Italo E la terza ragazza in un mese!
Renzo Come lo sai?
Italo Investigazione privata. Dove hai messo il mio orologio?
Renzo Sul tavolo.
Italo *(Looking)* Ma dov'è? Non lo trovo. Ah, eccolo!
Renzo La mia camicia. *(Searching)* Ah, eccola!
Italo Hai invitato Vittoria alla partita di domenica?
Renzo Sì, certo.
Italo Anch'io ho invitato una ragazza. Sono in gran forma.
Renzo Per la partita o per la ragazza?
A few moments later. Renzo is now combing his hair in the mirror. Italo spots a photo inside an open locker door.
Italo Hai visto la fotografia nell'armadio di Giuseppe?
Renzo La famosa Milena Mazzini. Giuseppe ha perso la testa per quella donna.
Italo Hai preso il mio pettine?
Renzo *(Throws comb to Italo)* Eccolo. E sai cos'ha fatto la famosa Milena Mazzini? Ha raccontato tutto al marito. Tutto!
Italo E il marito? Ha fatto una scena?

Renzo *(Putting on jacket)* No, non ha detto niente. Dov'è la spazzola?
Italo Nel cassetto. *(Renzo tries the drawer)* Nell'altro.
Renzo brushes his jacket and dashes off.
Renzo Ciao Italo, a domenica.
Italo Ciao, campione.

WORDS AND PHRASES

non hai perso tempo	*you didn't waste (lose) any time*
cosa vuoi dire?	*what do you mean?*
come si chiama?	*what's her name?*
è la prima vittoria della mia vita	*it's (she's) the first victory of my life*
hai invitato Vittoria alla partita di domenica?	*have you invited Vittoria to Sunday's match?*
sono in gran forma	*I'm on top form*
ha perso la testa per quella donna	*he's crazy about that woman*
ha fatto una scena?	*did he make a scene?*
non ha detto niente	*he didn't say anything*

EXPLANATIONS

1 ***The word for 'my':*** **il mio** amico **la mia** valigia
But when speaking of a member of your family: **mio** fratello **mia** moglie.

2 ***Things you've done***

Ho	**invitato** una ragazza **perso** la mia valigia **trovato** la mia camicia	*I've* { *invited a girl.* *lost my suitcase.* *found my shirt.*

3 ***How to ask if someone's found or seen something you've lost***

(confidential)	**Hai**	**trovato**	il mio orologio i biglietti	Silvia	?
(formal)	**Ha**	**visto**	la mia valigia le scarpe	signore	

Remember that the same expression covers both formal 'you' and 'he', 'she', 'it' situations.

ha trovato la valigia *he's (she's) found the suitcase*
ha visto le scarpe *he's (she's) seen the shoes*

4 ***How to indicate where things are***

. . . **il** rossetto?	**Eccolo**	sul tavolo	*here/there it is . . .*
. . . **i** guanti?	**Eccoli**	sulla sedia	*here/there they are . . .*
. . . **la** camicia?	**Eccola**	nel cassetto	*here/there it is . . .*
. . . **le** scarpe?	**Eccole**	nella macchina	*here/there they are . . .*

5 ***in the . . . on the . . . of the . . .***

(in + il) **nel** cassetto
(in + l') **nell'**altro cassetto
(su + il) **sul** vaporetto
(di + la) le segretarie **della** ditta Granata
(di + i) il ladro **dei** vestiti

6 in **gran** forma — *on **top** form*
povero Bertoldo — ***poor** Bertoldo*
investigazione **privata** — ***private** investigation*
vestiti **rubati** — ***stolen** dresses*

Italian word order is much more flexible than English. Some adjectives come before the word they're describing; others come after it.

TALKING PRACTICE

I *Listen to the cartoon story on the record and read the text before answering.*

1 Bertoldo ha perso una valigia nera o una valigia rossa? ....
2 La cerca alla stazione o all'ufficio oggetti smarriti? ....
3 Nella valigia ci sono venti o trenta vestiti? ....
4 Sono vestiti da uomo o vestiti da donna? ....
5 I documenti di Bertoldo sono nella valigia? ....
6 La polizia ha trovato il ladro dei vestiti? ....

II *Your spineless son returned from his holiday last night. You did his unpacking for him and now he can't find a thing.*

Mamma, non trovo le mie scarpe. — Sono nell'armadio.
E i calzini? *(socks)* — Sono nelle scarpe.

1 Hai visto la mia camicia? — È ....cassetto.
2 I fazzoletti? — ....altro cassetto.
3 Hai visto le mie sigarette? — ....valigia.
4 I fiammiferi? — ....altra camera.
5 Mamma, ho perso le chiavi della macchina. — ....macchina.
E non trovo il mio orologio. — È lì, sul tavolo. Allora hai tutto adesso?

Sì, grazie mamma.

III *An unpleasant office colleague stops you in the corridor. Humour him for a few moments.*

una pelliccia *(a fur coat)* risposto *(replied)*

Sai cosa ha fatto mia moglie? — No, cosa ha fatto?
Ha comprato una pelliccia.

Sai cosa ho fatto io? — No, cosa hai fatto?
Ho fatto una scena.

1 Sai cosa ha detto mia moglie? Ha detto: 'È l'ultima moda'	No, cosa ....
2 Sai cosa ho detto io? Ho detto: 'Per te è l'ultima pelliccia'.	No, ...
3 Sai cosa ha risposto mia moglie? Ha risposto: 'Sei orribile'.	....
4 Sai cosa ho risposto io? Ho risposto: 'Sei stupida'.	....
Sai cosa ha detto poi mia moglie?	*(Your 'phone rings)* Un momento, Aldo: è il mio telefono. *(You escape)*

IV *While you're mixing him a drink, a new acquaintance fires questions at you about the assembled company.*

Use **mio** **mia** *when speaking of your family.*
il mio **la mia** *when speaking of anyone else.*

Chi è quello?	È il mio avvocato. *(lawyer)*
E la signora con lui?	È mia madre. *(mother)*
1 E quella ragazza vicino al telefono?	..............sorella.
2 E l'altra con il vestito rosso?	..............segretaria.
3 Chi è quell'uomo grasso?	..............direttore.
4 E l'altro con la camicia nera?	..............fratello.
5 Quell'uomo basso con la signora alta? *(tall)*	..............medico. *(doctor)*
6 E la signora alta, chi è?	..............moglie.

V *Get the* **ecco** *habit.*

eccolo **eccola** **eccoli** **eccole**

You're the driver of a coachload of tourists. The guide thinks he's lost some of the party. Point out where they are.

Dov'è quella signora irlandese?	Eccola al primo tavolo.
1 E i due francesi?	.... all'altro tavolo.
2 Non vedo il tedesco.	.... al banco.
3 E quelle signore americane?	.... all'angolo della strada.
4 Dov'è quella scozzese?	.... al tavolo là in fondo.
E dove sono i due inglesi?	Non li vedo. Forse sono al gabinetto.

SYNOPSIS OF COMPREHENSION SCENES

Giulia drives to see her brother, Renzo, play football, but the match is over when she arrives.

At the team party that evening Renzo asks Giulia about her marriage.

8 PERMISSION AND OBLIGATION: *Can I . . . ? You must/ought to . . .*

LE AVVENTURE DI BERTOLDO BERTOLINI

La Prigione

B.B.'s mother is reading the newspaper which tells of her son's arrest by the Venice police.

Narrator La madre di Bertoldo vede la fotografia del figlio sul giornale.

She goes to the telephone.

Narrator Telefona al commissario.

Mother Perchè ha arrestato mio figlio?

Inspector Perchè . . .

Mother Mio figlio è innocente. Deve liberarlo subito.

Inspector Non posso, signora.

Mother Non può! Deve farlo subito!

Inspector Devo interrogarlo.

Mother Signor commissario, mio figlio non deve avere una cella fredda, deve dormire otto ore al giorno, non deve lavorare troppo e non deve mangiare spaghetti.

Inspector Signora, posso dire una parola?

Mother E deve . . .

Inspector *(Losing patience)* Signora, questo non è un albergo. *(Rings off)*

B.B. in cell with his cellmate, Alfredo. B.B. is trying to wash handkerchiefs in a tiny basin.

Alfredo Bertoldo, non puoi lavare i fazzoletti qui.

B.B. Allora dove posso lavarli?

Alfredo Devi lavarli nella lavanderia.

B.B. Mamma mia!

The inspector's office. In a half-open cupboard B.B. glimpses blankets and hot-water bottles.

Narrator Più tardi nell'ufficio del commissario.

Inspector Allora Bertolini, voglio sapere tutto.

B.B. Fa freddo nella cella, signor commissario.

Inspector È pronto a confessare?

B.B. Posso avere un'altra coperta, per piacere?

Inspector Certo, può averla. Dunque, la valigia con i vestiti rubati . . .

B.B. Il mio letto è freddo, signor commissario. Posso prendere una borsa d'acqua calda?

Inspector Santo cielo! Può prendere tutto. *(Sarcastically)* Vuole anche un bicchiere di latte caldo con cognac?

B.B. *(Now laden with blankets and hot-water bottles)* Se bevo non posso dormire. Buona notte, signor commissario.

Inspector *(Thinks)* Santo cielo!

Back in his cell B.B. is putting his trophies to good use.

Alfredo Bertoldo, come hai fatto?

B.B. Il commissario è come una mamma.

SIGNOR ISPETTORE, MIO FIGLIO NON DEVE AVERE UNA CELLA FREDDA, DEVE RIPOSARE OTTO ORE AL GIORNO, NON DEVE LAVORARE TROPPO E NON DEVE MANGIARE SPAGHETTI.
SE BEVO NON POSSO DORMIRE. BUONA NOTTE, SIGNOR ISPETTORE.
VENEZIA

WORDS AND PHRASES

deve liberarlo subito	*you must free him at once*
mio figlio non deve avere . . .	*my son mustn't have . . .*
deve dormire otto ore al giorno	*he must sleep eight hours a day*
non deve lavorare troppo	*he mustn't work too much*
posso dire una parola?	*can I say a word?*
devi lavarli nella lavanderia	*you must wash them in the laundry*
fa freddo nella cella	*it's cold in the cell*
certo, può averla	*of course you can have it*
se bevo non posso dormire	*if I drink I can't sleep*

TEACHING SCENE

A rocky place. A peasant woman carrying a basket is accompanied by her crippled daughter. Her way is barred by one of 'San Marcello's' disciples.

Disciple Chi cerca?
Woman Devo parlare con il santo.
Disciple Non è qui.
Woman Dove posso trovarlo?
Disciple Non lo so. Che cosa deve dire al santo?
Woman Devo incontrarlo. È urgente. Devo vederlo.
Disciple Se vuole, può parlare con me.
Woman No, devo parlare con il santo. Dov'è? Posso sapere dov'è? Voglio sapere dov'è.
Disciple Il santo non può vedere nessuno.
Woman Ho portato un po' di mele.
Disciple Le prendo io. *(Tries to take basket)*
Woman *(Hugging it to herself)* Voglio portarle io al santo. Dov'è? Mia figlia è malata. Il santo può guarirla.
Disciple Non può guarirla.
Woman Sì, può guarirla, può fare un miracolo. Mia figlia è molto malata.
Disciple Anche il santo è molto malato.
Woman Per favore, devo vederlo, soltanto un minuto. La mia bambina non può camminare.
Disciple Va bene.

The disciple relents and signals them to follow him. They arrive in sight of a ruin.

Woman Devo aspettare qui? Posso entrare?

The disciple leads them to a breach in the ruined building.

Disciple *(Whispers)* Adesso può parlare, ma piano. Il santo è molto malato.
Woman San Marcello, la mia bambina non può camminare. Può farla camminare? Può guarirla? Può fare un miracolo? Deve prenderla in braccio, deve vederla, deve toccarla. Le gambe, le gambe.

The saint intones a couple of unclear sentences.

Woman *(To disciple)* Che cos'ha detto?
Disciple Shhh!

The disciple indicates that they must follow him again. They come to a stream. The disciple enters the water with the child.

Disciple Deve bagnare i piedi della bambina in quest'acqua. Deve bagnarli nell'acqua miracolosa. Deve bagnare le gambe. Deve bagnarle così.

WORDS AND PHRASES

il santo non può vedere nessuno	*the saint can't see anyone*
ho portato un po' di mele	*I've brought a few apples*
può farla camminare?	*can you make her walk?*
deve prenderla in braccio	*you must take her in your arms*
i piedi della bambina	*the child's feet*
deve bagnarli nell'acqua	*you must bathe them in the water*

EXPLANATIONS

1 ***How to ask permission:***

Posso	entrare fumare aspettare qui	?	*Can I* { *come in?* *smoke?* *wait here?*

Replies:

Sì	**puoi**	entrare fumare aspettare qui	Dino	*Yes, you can . . .*
No, non	**può**		signora	*No, you can't . . .*

Nessuno può	entrare fumare aspettare qui	*No one can . . .*

2 ***How to express compulsion, obligation, urgency, necessity:***

Devo	vedere	il medico	*I've got to see the doctor.*
	parlare con	il direttore	*I must speak to the manager.*
	incontrare	Anna	*I have to meet Anna.*

Devi	andare adesso	Franco	*You must go now, Franco.*
Deve	tornare subito	signore	*You must come back at once, sir.*

Mia figlia	**deve**	dormire	*My daughter's got to sleep.*
Un bambino		mangiare	*A child has to eat.*

3 ***Why . . . ? Because . . .***

Perchè vai a letto?	*Why are you going to bed?*
– **Perchè** sono stanco.	*Because I'm tired.*

4 ***Lavarli, vederlo . . .***

Dove posso lav**arli**?	*Where can I wash them?*
Devo ved**erlo**.	*I must see him.*

lavare, vedere *etc. lose the final* **–e** *when* **lo, la, li** *or* **le** *are added to the end of the word.*

5 ***Double negatives:***

Non voglio mangiare **niente**.	*I don't want to eat anything.*
Non può vedere **nessuno**.	*He can't see anyone.*

TALKING PRACTICE

I *Listen to the cartoon story on the record and read the text before answering these questions.*

L'ispettore può liberare Bertoldo? — No, non può liberarlo.

1 Deve interrogare Bertoldo? ....
2 Bertoldo vuole lavare i fazzoletti? ....
3 Bertoldo vuole prendere un latte caldo? ....
4 Bertoldo può avere un'altra coperta? ....
5 Può avere una cella con aria condizionata? ....

II *You're at the dinner table, but don't be tempted by any of your host's kind suggestions. You have a delicate constitution.*

un altro po' *a bit more*

Signor Fanfulla, beve un altro po'? — No, se bevo troppo non posso dormire.

1 Ma sono soltanto le otto. Va già a dormire? — No, se dormo troppo.................. lavorare.
2 Ma oggi è sabato. Domani deve lavorare? — No,.................. mangiare.
3 Vuole mangiare un altro po'? — .... camminare.
4 Deve camminare dopo? — .... fumare.
5 Ah, vuole fumare? — .... parlare.
6 Allora vuole parlare? — .... fare niente.

Cosa vuole fare allora? — Vorrei guardare la televisione, ma non troppo. Se guardo la televisione troppo, non posso dormire.

III *You're the keenest golfer in Calabria, as your 11-year-old son, forced to practise his swing for over an hour, knows to his cost.*

Va bene così, papà? — No, devi farlo così, con il braccio diritto.

1 Va bene così, papà? — .... con i piedi fermi. *(firm)*
2 Va bene così, papà? — .... con le gambe così.
3 Va bene così, papà? — .... con la testa giù.
4 Va bene così, papà? — .... con l'altro braccio così.

Hai capito?

Sì, campione. Ho capito.

IV **Non c'è**

Tell each visitor that the person they want isn't in. Suggest someone else who may be able to help them.

Vorrei vedere il cardinale. — Il cardinale non c'è. Può vedere Padre Antonio, se vuole.

1 Vorrei vedere il direttore. — .... il signor Marino, ...
2 Vorrei vedere il commissario. — .... il brigadiere, ...
3 Vorrei vedere il signor Poli. — .... la signora Poli, ...

Now deal with the 'phone enquiries in the same way.

4 Pronto, vorrei parlare con la signora Conti. — .... parlare con la signorina Conti, ...
5 Pronto, vorrei parlare con Anna. — .... Silvia, ...
6 Pronto, vorrei parlare con il dottor Bruni. — .... la signora Bruni, ...
7 Pronto, vorrei parlare con il Ministro. — .... la segretaria, ...

Devo parlare con il Ministro. — Torna alla fine del mese, signore. È in vacanza.

You say il signor Poli, la signorina Conti *when talking about them, but* signor Poli, signorina Conti *when talking to them.*

SYNOPSIS OF COMPREHENSION SCENES

The sight of some bedroom shutters being closed makes Giulia think back to a fierce marital argument with Mario.

The next day she goes to a farmyard and meets the woman whose crippled child has allegedly been cured by 'San Marcello'.

The child hasn't really been cured. The woman loses her temper and Giulia leaves.

9 MEETINGS: *Where shall we meet? When shall we meet?*

LE AVVENTURE DI BERTOLDO BERTOLINI

Rapina a Chicago

Late evening in the prison cell. B.B. and Alfredo about to go to sleep.

Alfredo Bertoldo, rapiniamo una banca quando usciamo da qui?

B.B. *(Drowsily)* Sì, rapiniamo una banca quando usciamo da qui . . .

B.B. dreams of a speak-easy in the twenties. In the background a small stage with girls dancing. B.B. is with Bugsy and Spats at a central table. To one side Bonnie.

M.C. *(On microphone)* Signore e signori! Benvenuti al famoso Club Charleston. Salutiamo i nostri cari amici e salutiamo prima di tutto il nostro capo, Mr. Bertolini.

B.B. Salve amici! *(To Bugsy and Spats)* Ehi ragazzi, ci vediamo nel mio ufficio. *(Bonnie joins him)*

Bonnie Ci vediamo domani, Bertoldo?

B.B. Mi dispiace, Bonnie, vado a trovare mia nonna.

B.B.'s office, complete with cocktail bar and a portrait of his mother.

B.B. Allora, domani all'una rapiniamo la Banca Centrale.

Fingers Hai la chiave, capo?

B.B. Spiritoso, Fingers!

Bugsy Dove c'incontriamo domani?

The next day at Pier 20. B.B. and Fingers about to be shut inside a large packing case on which is written 'Nuovissimo Sistema d'Allarme'.

Bugsy Posso chiudere adesso?

B.B. Sì, puoi chiudere. Siamo pronti.

B.B. and Fingers are shut in the case, which is winched onto a lorry.

Outside the Central Bank. Bugsy and Spats, dressed as delivery men, draw up in a lorry. On the bank door it says 'Chiuso 13.00–15.00'. *There is a policeman in front of the bank.*

Bugsy È quasi l'una.

Spats Perfetto.

Policeman Cos'è?

Bugsy È il nuovo sistema d'allarme per la Banca Centrale.

Policeman Posso dare una mano?

Bugsy and Spats Grazie.

They all lug the case inside, then thank the policeman outside the bank, which is now closed.

Bugsy Andiamo a mangiare, Spats. Arrivederci e grazie.

Policeman Niente, ragazzi.

Inside the bank. It is now 2.30. B.B. and Fingers have bust a safe and are loading up with cash.

B.B. *(Whispering)* Dobbiamo fare presto: abbiamo solo mezz'ora.

Half an hour later. The packing case is being idly inspected by a few employees.

Narrator Mezz'ora dopo, alle tre.

Rossi Che cos'è?

LA POLIZIA! SIAMO FRITTI!
SALVE AMICI!
EHI RAGAZZI, CI VEDIAMO NEL MIO UFFICIO.
FACCIAMO PRESTO: ABBIAMO SOLO MEZZ'ORA.

Villa Non lo so.
Rivolta *(Reads)* Nuovissimo sistema d'allarme.
Rossi Ne abbiamo già uno.
Bugsy and Spats arrive in haste and sham fluster.
Spats Abbiamo fatto un errore.
Bugsy È per la Banca Commerciale.
Spats Lo portiamo via.
Rossi Possiamo dare una mano, ragazzi?
Bugsy and Spats Grazie.
Inside the warehouse at Pier 20. B.B. and Fingers emerging from the case with the loot.
B.B. Bravi, ragazzi. Una rapina perfetta.
Suddenly the sound of police sirens.
B.B. La polizia! Siamo fritti!
Inspector Complimenti, Mr. Bertolini, ma la commedia è finita. *(B.B. is handcuffed).*
B.B. *(Shouting)* Non voglio andare in prigione! Non voglio! Non voglio! Non . . .

Back in B.B.'s prison cell. B.B. is awakened by the inspector.
Inspector Calma, Bertolini. Abbiamo preso il vero ladro. Lei è libero.

WORDS AND PHRASES

rapiniamo una banca quando usciamo da qui?	*shall we rob a bank when we get out of here?*
prima di tutto	*above all*
ci vediamo nel mio ufficio	*we'll meet in my office*
mi dispiace	*I'm sorry*
vado a trovare mia nonna	*I'm visiting my grandmother*
dove c'incontriamo?	*where shall we meet?*
siamo pronti	*we're ready*
posso dare una mano?	*can I give (you) a hand?*
dobbiamo fare presto	*we've got to get a move on*
abbiamo solo mezz'ora	*we've only got half an hour*
abbiamo fatto un errore	*we've made a mistake*
siamo fritti!	*we're done for!*
abbiamo preso il vero ladro	*we've captured the real thief*

TEACHING SCENE

Claudia is in the kitchen of her flat. She is whipping cream in a bowl. Irene and Paolo watch her.
Irene Dopo cena che facciamo?
Paolo Andiamo a letto.
Irene Perchè non facciamo una gita al mare?
Paolo Di notte?
Claudia È una magnifica idea. Andiamo a Fregene?

Irene Oh, Claudia, che bello!
The phone rings in the living-room.
Claudia Oh, il telefono. Irene, perchè non fai attenzione alla crema? Torno subito. *(Gives bowl to Irene).*
Irene Cosa devo fare con questo?
Paolo *(Looking at cook-book)* Vediamo un po' . . .
Claudia goes into the living-room and picks up the phone.
Claudia Pronto? Giulia! Sei a Roma?
Giulia *(In the lobby of a country hotel)* No, chiamo da fuori.
Claudia Che cosa fai? Hai trovato il santo?
Giulia No, non ancora, ma domani vado in montagna per incontrarlo.
Claudia Che fa in montagna? Buon Dio! È già quasi in Paradiso.
Giulia E tu che fai?
Claudia Ho invitato un po' di amici a cena. Siamo in cinque o sei. Più tardi usciamo. Andiamo al mare, facciamo una gita a Fregene.
Giulia A Fregene?
Claudia È un'idea un po' pazza. Giulia cara, puoi venire con noi?
Giulia Non è possibile, lo sai.
Claudia Quando torni a Roma? Quando ci vediamo?
Giulia Torno giovedì. Che fai dopo pranzo?
Claudia Vediamo un po'. Sono all'Istituto Americano fino alle tre. Poi non faccio niente. Ci vediamo in centro, se vuoi.
Giulia Va bene, a che ora?
Claudia Alle tre e mezzo. C'incontriamo davanti al caffè 'Navona'?
Giulia D'accordo.
Claudia Ah, a proposito, c'è una lettera per te.
Giulia Puoi aprirla per favore?
The door bell rings.
Claudia Scusa, c'è qualcuno alla porta. Ti richiamo. Dove sei?
Giulia Sono in un piccolo paese. Si chiama Marazzo.
Claudia Il numero di telefono?
Giulia Ventisette.
Claudia Va bene, Giulia, ti richiamo.
Claudia runs to the door and opens it. It's Mario.

WORDS AND PHRASES

dopo cena che facciamo?	*what are we doing after dinner?*
una gita al mare	*a trip to the seaside*
di notte	*by night*
torno subito	*I'll be right back*
vediamo un po'	*let's see*
chiamo da fuori	*I'm calling from out of town*
vado in montagna per incontrarlo	*I'm going to the mountains to meet him*
un po' di amici	*a few friends*
un'idea un po' pazza	*a bit of a crazy idea*
d'accordo	*agreed*
a proposito	*by the way*
ti richiamo	*I'll call you back*

EXPLANATIONS

1 ***How to arrange to meet someone***

asking when and where

Quando A che ora Dove	**c'incontriamo** **ci vediamo**

? *When / At what time / Where* } *shall we meet?*

saying when and where

C'incontriamo **Ci vediamo**	domani alle dieci e mezzo al bar

We'll meet { *tomorrow. / at half past ten. / in the bar.*

suggesting what to do

Usciamo adesso	*Let's go out now.*
Facciamo una gita al mare	*Let's make a trip to the sea.*
Andiamo a Fregene	*Let's go to Fregene.*

2 ***Dating dialogues***

Che	fai	dopo pranzo	Maria
	fa	stasera	signorina

? Non **faccio** niente / Sono libera / Sono occupata

What are you doing { *after lunch / this evening* ? *I'm doing nothing. / I'm free. / I'm busy.*

TALKING PRACTICE

I *Listen to the cartoon story on the record and read the text before answering these questions.*

1 Bertoldo ha parlato con Bonnie a casa o al club? ....
2 Ha parlato con lei per poco tempo o per molto tempo? ....
3 Il giorno dopo Bertoldo ha visto la nonna? ....
4 Ha parlato con Fingers e Bugsy in ufficio o per strada? *(on the street)* ....
5 Ha fatto la rapina di giorno o di notte? ....
6 Ha fatto una rapina perfetta? ....

II *You're with friends discussing what to do this evening. Agree with every suggestion.*

Vorrei uscire.	Buon'idea. Usciamo.
1 Carlo vuole andare al cinema.	Buon'idea. .... al cinema.
2 Anna vuole mangiare prima.	....
3 Silvio vuole prendere una birra adesso.	....
4 Angela vuole andare al club dopo il cinema.	....
5 E io vorrei tornare qui più tardi.	....
Siamo pronti? Usciamo?	

III *A friend wants you and your wife to offer him a lift to various places. You're only too happy to oblige.*

andarci *to go there*

Stamattina devo andare in centro.	Anche noi dobbiamo andarci. Puoi venire con noi se vuoi.
1 Ma prima devo andare all'ufficio postale.	Anche noi ....
2 E dopo devo andare alla stazione.	....
3 Dopo pranzo vorrei andare al mare.	Anche noi vogliamo ....
4 Io vorrei andare a Fregene.	....
Grazie, grazie mille.	A proposito, non abbiamo soldi per la benzina. *(money for the petrol)*

IV *You're with a stunning member of the opposite sex and suddenly Italian has become an easy language.*

Allora, devo tornare a casa, ma . . . quando ci vediamo?	Ci vediamo domani.
1 Dove c'incontriamo?	.... qui.
2 E cosa facciamo?	.... gita.
3 Bene. Dove andiamo?	.... al mare.
4 Che bello! Prendiamo il treno?	Sì, ...
5 E mangiamo lì?	Sì, ...
6 Facciamo il bagno? *(shall we go swimming?)*	Sì, ...
7 E torniamo molto tardi?	Sì, ...
A domani, allora.	Ciao, a domani.

SYNOPSIS OF COMPREHENSION SCENES

In another Umbrian village. Giulia is approached by an old man who promises to take her to 'San Marcello'.

She returns first to her hotel room where she receives a 'phone call from Claudia. According to Claudia Giulia's lawyer is off to Naples for a few weeks on business.

Later the old man takes Giulia to see 'San Marcello' . . .

10 THE PAST:

How to talk about movement in the past: I went . . I arrived.

LE AVVENTURE DI BERTOLDO BERTOLINI

Africa

B.B. at the airport awaiting a flight. Nearby, a husband and wife in safari gear. Photographers and press men rush up to them.

Narrator Bertoldo è all'aeroporto di Venezia. Aspetta l'aereo per Pisa.

Press voices all shouting.

Romolo Professore! Professore!

Remo Professore, quanto tempo è stato in Africa?

Camillo Anche Sua moglie è stata nella giungla?

In Victorian times. B.B. is the guest of honour at the Geographical Society.

Chairman Benvenuto, professor Bertolini, a nome della Società Geografica. Il professore è appena tornato dall'Africa centrale.

Lucio Professore, quando è partito per l'Africa?

B.B. Sono partito sei mesi fa.

Valeria È andato da solo?

B.B. No, la mia segretaria è venuta con me. *(Puts up a slide on magic lantern.)*

On screen projected slides of B.B. and Flavia dressed in safari gear. Slide of departure.

Siamo partiti il due gennaio da Timbuctù.

Slide of arrival.

B.B. E siamo arrivati a Ugigi un mese dopo.

Lucio È stato un viaggio pericoloso?

B.B. shows slides of an elephant stampede, roaring lions breaking through camp-site, and crocodiles attacking his canoe.

B.B. Non troppo.

Valeria Come è stato il Suo primo incontro con i cannibali?

B.B. Molto cordiale.

Lucio Cos'è successo?

Slide of B.B. and Flavia arriving in cannibals' village.

B.B. Un giorno siamo arrivati in un villaggio di cannibali.

Flavia approaches the chief.

La mia segretaria è andata dal capo della tribù . . .

Valeria E poi?

Flavia is crowned queen

B.B. È diventata la moglie del capo e la regina della tribù.

Lucio È rimasta con loro?

B.B. Sì e io sono tornato da solo.

Loud airport noise. B.B. wakes up.

B.B. *(To air-hostess)* L'aereo per Pisa?

Air-hostess È già partito, signore.

B.B. Che viaggio!

SONO PARTITO SEI MESI FA.
PROFESSORE, QUANDO È PARTITO PER L'AFRICA?

È ANDATO DA SOLO?
NO, LA MIA SEGRETARIA È VENUTA CON ME.

"UN GIORNO SIAMO ARRIVATI IN UN VILLAGGIO DI CANNIBALI."

WORDS AND PHRASES

quanto tempo è stato in Africa?	*how long were you in Africa?*
benvenuto, a nome della Società Geografica	*welcome, in the name of the Geographical Society*
è appena tornato	*he has just returned*
sono partito sei mesi fa	*I left six months ago*
è andato da solo?	*did you go on your own?*
come è stato il Suo primo incontro?	*how was your first meeting?*
cos'è successo?	*what happened?*
la mia segretaria è andata dal capo della tribù	*my secretary went up to the chief of the tribe*
è rimasta con loro?	*did she stay with them?*

TEACHING SCENE

The monastery. A monk is working in the grounds. Mario approaches carrying a small suitcase.

Mario Fra Michele!
Monk Ah, sei tornato, figliolo.
Mario Sì, sono tornato.
Monk Quando sei arrivato?
Mario Adesso. Sono arrivato proprio in questo momento.
Monk Sei venuto a piedi dal paese?
Mario No, sono venuto in autobus. Posso dare una mano?
Monk Grazie. Oh, la mia povera schiena.
Mario starts to dig.
Mario È venuto qualcuno mentre ero via?
Monk Sì, due persone per fare delle fotografie: una coppia, marito e moglie. Sono arrivati la mattina e sono partiti verso sera.
Mario Sono saliti in camera mia?
Monk Non credo.
Mario Sicuro?
Monk Certo, figliolo.
Mario E oggi è venuto qualcuno?
Monk Oggi? Oggi sono andato in paese. Sono tornato poco fa.
Mario Ah, in paese.
Monk Sì, con Fra Filippo. Siamo andati insieme a comprare la nuova campana.
Mario Posso vederla?
Monk Oh, non è ancora pronta. Siamo andati a discutere il prezzo. È molto cara, ma è così bella. E il suono . . .
Mario continues to work in silence.
Monk Come sono andate le cose a Roma?
Mario Come?
Monk Sei stato a Roma, no?
Mario Sì, certo, ma non sono rimasto sempre in città.
Monk Dove sei andato?

Mario Sono andato al mare con un gruppo di amici.
Monk A Ostia?
Mario No, a Fregene. Siamo partiti alle due e siamo arrivati all'alba.
Monk *(Puzzled)* Vuoi dire alle due di notte?
Mario Sì.
Monk Sono stato giovane anch'io, ma al mare di notte!
Mario *(Teasing)* Sì, siamo andati in barca e siamo andati a nuotare.
Monk Sono venute anche delle donne?
Mario Sì, certo.
Monk E tua moglie, figliolo? È venuta anche lei?
Mario *(Quickly)* Mia moglie non è a Roma, è partita per lavoro. Ah, ecco Fra Filippo.

WORDS AND PHRASES

sono arrivato proprio in questo momento	*I've just arrived this very moment*
a piedi	*on foot*
mentre ero via	*while I was away*
fare delle fotografie	*to take photographs*
sono saliti in camera mia?	*did they go up into my room?*
sono andato in paese poco fa	*I went to the village a short time ago*
non è ancora pronta	*it's not ready yet*
come sono andate le cose?	*how did things go?*
in barca	*by boat*

EXPLANATIONS

1 ***Movement in the past***

(a) Talking about other people:

Aldo	**è**	partit**o**	ieri	*Aldo*	*left yesterday*
Gina		partit**a**		*Gina*	
Dino e Tito	**sono**	partit**i**		*Dino and Tito*	
Le ragazze		partit**e**		*The girls*	

partito **arrivato** **venuto** *etc.*

This form of the verb (known as the past participle) has –o –a –i –e *endings depending on the sex and number of the persons who left, arrived, came etc. In this respect it's like an adjective. The same pattern is used for things as well as people:*

L'aereo è partit**o** ma **la nave** non è ancora partit**a**

(b) Talking about your own travels:

if you're a man

Sono	andat**o** a Roma stat**o** lì per un mese tornat**o** senza soldi	*I went to Rome.* *I was there for a month.* *I came home broke.*

if you're a woman

Sono	andat**a** a Roma stat**a** lì per un mese tornat**a** senza soldi	*I went to Rome.* *I was there for a month.* *I came home broke.*

If you went with someone else you'd say: siamo andat**i**
siamo stat**i**
siamo tornat**i**

If you were a group of women: siamo andat**e**
siamo stat**e**
siamo tornat**e**

(c) Asking others about their travels:

asking a man

Sei	stat**o** a Londra	Dino	? *Have you been to London . . .*
È		signore	

asking a woman

Sei	stat**a** a Londra	Anna	? *Have you been to London . . .*
È		signora	

2 ***How to say: 'your'***

if you're on confidential, Christian-name terms:

il tuo viaggio **la tua** segretaria

if you're on formal terms:

il Suo viaggio **la Sua** segretaria

3 *How to say: 'I'm going to . . .'*

continents, countries, regions

Vado **in**	Africa Italia Umbria

towns and streets

Vado **a**	Roma Via Neri

people

Vado	**da** Mario **da** un amico **dalla** nonna **dal** medico

TALKING PRACTICE

I *Listen to the cartoon story on the record and read the text before answering these questions.*

1 Il professor Bertolini è stato in Asia? ....
2 Quanto tempo fa è partito? ....
3 È andato da solo o con una segretaria? ....
4 La segretaria è andata con lui nella giungla? ....
5 Quando sono partiti da Timbuctù? ....
6 Il professore e la segretaria sono andati fino a Ugigi? ....
7 Sono tornati dall'Africa insieme? ....
8 Perchè? Cos'è successo? La segretaria è ....
....

II *All of your children are out when a friend of theirs rings up.*

Pronto, c'e Angela? — No, è uscita.
1 Ci sono Anna e Luisa? — Anche loro ....
2 C'è Carlo allora? — Anche ....
3 C'è Marisa? — ....
4 Carla e Enzo ci sono? — ....
Tutti usciti? — Sì, signorina. A quest'ora non c'è nessuno. Vuole richiamare verso le due?

III *It's a grey day today, but yesterday was beautiful.*

Sono stata al mare ieri.	Anche noi siamo stati al mare ieri.
1 Sono andata a Ostia.	....
2 Sono arrivata molto tardi.	....
3 Ci sono rimasta fino alle cinque.	....
Era una bella giornata, no?	Sì, non come oggi.

IV *You're giving a large party. Each pair of remarks is identical except that you use the* tu *form in one and the* Lei *form in the other.*

Dov'è il Suo bicchiere, signorina? Cosa beve?
Dov'è il tuo bicchiere, Marisa? Cosa bevi?

1 Buona sera, professore, è venuto da solo?
Ciao Tonino, ...

2 Annamaria, che fai? Non bevi niente?
Ma dottore, ...

3 Aldo, non è ancora arrivata tua sorella?
Signor Riva, ...

4 Signorina Conti, il Suo amico ha la macchina?
Francesca, ...

5 Non devi tornare con l'autobus?
E Lei, signorina, ...

6 Signora, mi dispiace, ma non trovo la Sua pelliccia.
Marisa, ...

Silenzio! Silenzio! Signore e signori, mi dispiace, ma un ladro ha rubato tutte le pellicce.

V *You're working as receptionist in a small* pensione. *The owner has just come back from lunch and is checking over his room availabilities with you.*

Quando va via quello studente americano?	È appena andato via.
1 Quando arriva il signor Poli?	.... arrivato.
2 Quando torna quella francese?	....
3 E quando vanno via i tedeschi?	....
4 Tuo fratello quando parte?	....
5 E quando arriva quella ragazza inglese?	....
6 Quella milanese va via oggi?	Sì, ...
Bene allora, abbiamo camere per tutti stasera.	

SYNOPSIS OF COMPREHENSION SCENES

Mario is again visited by Francesca at the monastery. They quarrel. Francesca takes the keys to Mario's flat in Rome and threatens to live there.

Giulia gives a lift to a young hitch-hiker, Gabriele. During a walk by the sea he talks about his relationship with his parents, and their divorce.

11 REVISION

LE AVVENTURE DI BERTOLDO BERTOLINI

L'Interpretazione dei Sogni

It's Christmas party time at the firm.

Narrator È Natale. Grande festa alla ditta Granata.

B.B. *(Thinking of his mother)* Sono già le dieci. Devo andare a casa.

As B.B. is about to take his coat Flavia comes up to him.

Flavia Signor Bertolini, torna già a casa?

B.B. Ah, signorina, quando sono andato a Venezia ho pensato tanto a Lei. Ho comprato un regalo per Lei. *(Hands Flavia a present)*

Flavia Anch'io ho qualcosa per Lei *(Hands B.B. a packet)*

B.B. opens the present. It's a book 'L'Interpretazione dei Sogni'

B.B. Grazie tante. Che libro interessante!

Flavia È tardi. Devo andare a casa anch'io.

B.B. Posso accompagnarLa?

Outside Flavia's house. It's cold.

Narrator I nostri amici sono arrivati davanti alla casa di Flavia.

B.B. *(Shivering)* Fa freddo.

Flavia Viene a prendere un caffè?

B.B. and Flavia in her flat. They are having coffee.

Narrator Più tardi, nell'appartamento di Flavia.

B.B. *(Looking at his present)* Anche Lei fa . . .

Flavia Diamoci del tu, Bertoldo.

B.B. Anche Lei fa . . . anche tu fai molti sogni?

Flavia Sì. E tu?

B.B. Moltissimi.

We see B.B. in Roman Forum, selling suits, etc.

B.B. Per esempio, un mese fa ho sognato che ero un antico romano. Sono andato al Foro, ho comprato coccodrilli e ho venduto il Colosseo.

Flavia Hai fatto tutto questo da solo?

B.B. Sì, certo.

Flavia *(Takes book and looks at it)* Vediamo. Sei andato al Foro romano, hai venduto il Colosseo e hai comprato coccodrilli. Mmm . . . monumenti . . . animali . . . antica Roma. Significa che puoi diventare un grande uomo d'affari.

B.B. Io?

Flavia Un altro sogno, Bertoldo.

Picture of B.B. in Hell with Virgil.

B.B. Ho sognato che siamo andati all'Inferno.

Flavia Noi due?

B.B. No, io e Virgilio.

Flavia Chi hai visto laggiù?

Picture of Boss in Hell.

B.B. Ho visto il dottor Granata.

Flavia E chi altro?

Picture of Flavia in Hell.

B.B. Ho visto . . . Flavia.

...HO SOGNATO DI ESSERE UN ANTICO ROMANO.
...SONO CADUTO NEL FUOCO....
...TU E IO SIAMO ANDATI IN AFRICA...
HO VISTO... FLAVIA.

Flavia Anch'io all'Inferno!
Picture of B.B. falling into Hell.
B.B. Sì, anche tu. Io sono caduto nel fuoco e tu sei rimasta fra i diavoli.
Flavia Vediamo. *(Looking at book)* Inferno . . . diavoli . . . fuoco . . . Ecco: vuoi riuscire nella vita, però sei un po' timido.
B.B. looks very sad and sighs pathetically.
Flavia Non bisogna credere ai sogni, Bertoldo.
B.B. Un'altra volta. Ho sognato che tu ed io siamo andati in Africa e abbiamo incontrato una tribù di cannibali.
Picture of B.B. and Flavia in African village.
Flavia E poi?
B.B. Sei diventata la moglie del capo della tribù.
Flavia *(Looking at book)* Questo significa . . . matrimonio in vista!
B.B. *(Quickly)* È mezzanotte, Flavia. Devo andare a casa. Mamma mi aspetta.

WORDS AND PHRASES

sono già le dieci	*it's already ten o'clock*
andare a casa	*to go home*
ho pensato tanto a Lei	*I've thought of you so much*
posso accompagnarLa?	*can I come with you?*
diamoci del tu	*let's say* **tu** *to each other*
anche tu fai molti sogni?	*do you have many dreams as well?*
per esempio	*for example*
ho sognato che ero un antico romano	*I dreamt that I was an ancient Roman*
un grande uomo d'affari	*a great businessman*
noi due	*the two of us*
chi altro?	*who else?*
vuoi riuscire nella vita	*you want to succeed in life*

EXPLANATIONS

1 io, tu, Lei

Io sono andato al cinema e **tu** sei rimasta a casa.
I went to the cinema and you stayed at home.
Anch'**io** ho qualcosa per Lei.
I've got something for you too.
Anche **Lei** fa molti sogni?
Do you have lots of dreams too?

Only use io, tu, Lei *etc. with the verb for contrast or emphasis.*

2 Diamoci del tu

People don't usually make a great ceremony over switching to Christian-name terms. Young people often use Christian names with each other on first acquaintance. However, the Lei *form is the one you'll be using to start with, and it's the one beginners should practise most.*

3 ***Talking about the weather***

fa freddo stasera	*it's cold this evening*
fa caldo oggi	*it's hot today*

TALKING PRACTICE

I *Distinguish between the dreams and the reality.*

Bertoldo è stato in Africa fra i cannibali? — No, non è stato in Africa fra i cannibali. Era solo un sogno.

È stato in prigione a Venezia? — Sì, è stato in prigione a Venezia.

1 Flavia e il dottor Granata sono stati prigionieri all'Inferno? ....
2 Bertoldo ha venduto il Colosseo a un americano? ....
3 Ha venduto mille vestiti a un francese? ....
4 Flavia ha comprato un regalo per Bertoldo? ....
5 Bertoldo e Virgilio sono andati insieme a Venezia? ....
6 Bertoldo e Flavia sono andati insieme in Africa? ....
7 Bertoldo e la bionda sono andati insieme al Casinò? ....
8 Bertoldo ha fatto una rapina a Chicago? ....
9 Flavia è diventata la regina dei cannibali? ....
10 Flavia ha invitato Bertoldo a prendere un caffè? ....

II *Keep the* **ne** *habit going.*

Bertoldo fa pochi sogni? — No, ne fa molti.
Ha molte amiche? — No, ne ha poche.

1 Ha pochi clienti? — No, ...
2 Fa pochi viaggi? — No, ...
3 Ha molti soldi? — No, ...
4 Porta pochi vestiti nella valigia? — No, ...
5 Nel sogno del Casinò perde pochi soldi? — No, ...
6 I prigionieri a Venezia hanno molte coperte? — No, ...

III **Diamoci del tu**

Posso accompagnarLa a casa, signorina? — Diamoci del tu, Bertoldo.
Posso accompagnarti a casa, Flavia?

1 Anche Lei fa molti sogni, signorina? — Diamoci del tu, Bertoldo.
Anche..........?

2 È stanca, signorina. Vuole andare a casa? — Diamoci del tu, Bertoldo.
..........?

3 Questa è la Sua pelliccia, vero, signorina? — Diamoci del tu, Bertoldo.
..........?

IV *Your flat-mate only thinks of men and clothes. She can't believe that sometimes you just walk around town for the fun of it.*

bentornato *welcome back* dai! *come off it!*

Bentornata. Chi sei andata a trovare?	Non sono andata a trovare nessuno.
Cosa hai comprato?	Non ho comprato niente.
1 Cosa sei andata a comprare?	Non ....
2 Chi hai visto in centro?	Non ....
3 Ma dai! Hai incontrato qualcuno?	No, non ....
4 Ma sei stata fuori per quattro ore. Hai perso qualcosa per strada?	No, non ....
5 Hai parlato con qualcuno al telefono?	No, non ....
6 Ma cos'è successo?	Non ....
Niente?	Niente di interessante per te. Ho camminato molto. Ho pensato a tante cose. Era bello.

V *You're Giovanni, a jetsetter with a very full engagement book.*

Una di queste sere, Giovanni, dobbiamo mangiare insieme.	Buon'idea. Quando?
Per me va bene lunedì.	Lunedì devo andare dalla principessa *(princess)*
1 Allora, martedì?	.... Germania.
2 E mercoledì?	.... Roma.
3 Per te va bene giovedì?	.... Francia.
4 E venerdì?	.... Milano.
5 Allora sabato?	.... Anna.
6 Che fai domenica?	.... Cardinale Grappa.
Allora lunedì ventotto?	Sì, perfetto. Lunedì ventotto sono libero.

SYNOPSIS OF COMPREHENSION SCENES

Giulia drops Gabriele on the outskirts of Rome and gives him her address.

Later, at the 'Primavera' offices she discusses a new project with Isa – a fashion report to be shot in Naples.

Claudia talks to Giulia about the question of a legal separation.

GRAMMAR SUMMARY: PROGRAMMES 6 TO 11

1 ***-iamo***

to buy	**comprare**	**compriamo**	*we buy*
to sell	**vendere**	**vendiamo**	*we sell*
to go out	**uscire**	**usciamo**	*we go out*
to go	**andare**	**andiamo**	*we go*

The **noi** *form is very easy. Whether it's an* **-are, -ere** *or* **-ire** *verb (regular or irregular), the ending is always* **-iamo.**
Note the irregular forms:

siamo	*we are*	(essere)
abbiamo	*we have*	(avere)
dobbiamo	*we must*	(dovere)
facciamo	*we do, make*	(fare)

As so often, one Italian word does the work of a variety of English expressions.

Andiamo . . . *we're going, we go, we'll go, let's go*
Andiamo . . . ? *shall we go?, will we go?, are we going?*

This may look complicated, but in real-life you'd never be in any doubt as to whether someone was asking a question, making a tentative suggestion, or stating a fact.

2 ***Irregular verbs***

voglio	*I want*	posso	*I can*
vuoi	*you want*	puoi	*you can*
vuole	*you want; he/she wants*	può	*you can; he/she can*
vogliamo	*we want*	possiamo	*we can*
devo	*I must*	faccio	*I do*
devi	*you must*	fai	*you do*
deve	*you must; he/she must*	fa	*you do; he/she does*
dobbiamo	*we must*	facciamo	*we do*

3 ***Talking about the recent past***

In programmes 7 and 10 you were shown how to talk about events in the recent past. The following examples emphasise the difference between the two basic patterns:

verbs with **avere**	*verbs with* **essere**
Mario **ha** visto il film.	Mario **è** andat**o** ieri.
Lola **ha** visto il film.	Lola **è** andat**a** ieri.
Paolo e Carlo **hanno** visto il film.	Paolo e Carlo **sono** andat**i** ieri.
Paola e Carla **hanno** visto il film.	Paola e Carla **sono** andat**e** ieri.

These verbs with essere *– mainly verbs of movement – have* –o –i –a –e *endings just like adjectives. In the vocabulary at the back of this book they are marked with an asterisk.*

avere *verbs*

ho **hai** **ha** **abbiamo** **hanno**	**visto** il film

essere *verbs*

sono **sei** **è**	**andato** **andata**	ieri
siamo **sono**	**andati** **andate**	

-are *verbs almost all have regular* **-ato** *endings*

buy	(comprare)	comprato	*arrive*	(arrivare)	arrivato
talk	(parlare)	parlato	*go*	(andare)	andato
eat	(mangiare)	mangiato	*come in*	(entrare)	entrato
find	(trovare)	trovato	*return*	(tornare)	tornato
but *do, make*	(fare)	fatto			

-ire *verbs almost all have regular* **-ito** *endings*

understand	(capire)	capito	*go up*	(salire)	salito
finish	(finire)	finito	*depart*	(partire)	partito
			go out	(uscire)	uscito
but *open*	(aprire)	aperto			
say	(dire)	detto	*come*	(venire)	venuto

-ere *verbs have no single pattern*

have	(avere)	avuto	*fall*	(cadere)	caduto
close	(chiudere)	chiuso	*be*	(essere)	stato
put	(mettere)	messo			
lose	(perdere)	perso			
take	(prendere)	preso			
see	(vedere)	visto			
sell	(vendere)	venduto			

The Italian expressions used for talking about the recent past do the work of two English ones:

Lola ha visto il film.	*Lola saw the film./Lola has seen the film.*
Lola ha visto il film?	*Did Lola see the film?/Has Lola seen the film?*
Lola è andata via.	*Lola went away./Lola has gone away.*
Lola è andata via?	*Did Lola go away?/Has Lola gone away?*

In Italian, the difference between a statement and a question lies in the way the sentence is spoken: the intonation.

4 lo, la, li, le

(a)

Adesso **lo** vedo.	*Now I see him/it.*
Adesso **la** vedo.	*Now I see her/it.*
Adesso **li** vedo.	*Now I see them (people or things).*
Adesso **le** vedo.	*Now I see them (people or things).*

(b) ecco**lo**, ecco**la**, ecco**li**, ecco**le** *used when pointing out where things or people are.*

(c)

Non posso	far**lo** comprar**li** veder**la**	*I can't* { *do it.* / *buy them.* / *see her.* }

12 MORE ABOUT THE PAST: *I met him. He saw her.*

LE AVVENTURE DI BERTOLDO BERTOLINI

Garibaldi – Parte Prima

B.B. sitting near a statue of Garibaldi in Turin.

Narrator Bertoldo è a Torino per lavoro.

B.B. *(Thinks)* Garibaldi, che grande uomo! La spedizione dei Mille . . . l'unità d'Italia . . .

B.B. dreams he's with Garibaldi in camp near Genoa on a hill overlooking the sea. He's wearing the uniform of captain. They are studying a map of Italy.

Garibaldi Bertoldo, ho deciso di partire per la Sicilia e liberare l'Italia meridionale.

B.B. Il re lo sa?

Garibaldi No, non ancora, ma ho una lettera per lui. Vuoi portarla a Torino?

B.B. Senz'altro.

Garibaldi *(Gives him letter)* Ecco la lettera. L'unità d'Italia è nelle tue mani.

Interior of the King's study in Turin. A big map of Italy on the wall. The King is talking to his Prime Minister, Cavour. An usher announces B.B.

Usher Il Capitano Bertolini!

King Avanti, Capitano!

B.B. Maestà, ho una lettera di Garibaldi.

King *(Reads letter).*

Maestà,

ho deciso di conquistare l'Italia meridionale.
Ho mille volontari con me. Ho bisogno di due navi.
Suo devotissimo,
Giuseppe Garibaldi.

King *(Annoyed)* Ma Garibaldi ha perso la testa! Vuole liberare la Sicilia con solo mille uomini.

Cavour È pazzo.

B.B. Con rispetto, Maestà, ha visto i nostri volontari?

King No, non li ho visti. Ma mille uomini contro quarantamila!

Cavour È impossibile.

King Non posso dare il mio aiuto a questa spedizione.

B.B. Come vuole, Maestà.

B.B. leaves, upset. King and Cavour left alone at the map.

King Cosa facciamo, caro Cavour?

Cavour Ho cinquantamila uomini pronti. Li ho mandati qui. *(Points to border)*

King Ho capito: se Garibaldi perde, perde da solo. E se vince . . .

Cavour Se vince, siamo con lui. *(Draws line on map)* Così, con l'aiuto di Garibaldi, anche l'Italia meridionale diventa nostra.

Garibaldi's camp on a moonlit night. Two large ships in the harbour. B.B. arrives on horse-back.

Narrator Bertoldo è tornato.

Garibaldi Hai visto il re, Bertoldo?

HAI VISTO IL RE, BERTOLDO?
SÌ, L'HO VISTO.

BERTOLDO, HO DECISO DI PARTIRE PER LA SICILIA E LIBERARE L'ITALIA MERIDIONALE.

MAESTÀ, HA VISTO I NOSTRI VOLONTARI?
NO, NON LI HO VISTI.

B.B. Sì, l'ho visto.
Garibaldi Cosa ha detto?
B.B. È contro la spedizione. E ora come facciamo senza navi?
Garibaldi *(Pointing to ships)* Le ho già trovate. Eccole.
B.B. *(Depressed)* Non sono stato di grande aiuto.
Garibaldi Bertoldo, hai fatto il tuo dovere.
B.B. L'ho fatto per l'Italia e per te.
The next day. The two ships are now at the quayside.
Narrator Il giorno dopo.
Garibaldi *(To his men)* Ragazzi, ecco le navi. Stanotte partiamo per la Sicilia.

WORDS AND PHRASES

la spedizione dei Mille	*the expedition of the Thousand (see historical note)*
ho deciso di partire per la Sicilia	*I've decided to leave for Sicily*
il re lo sa?	*does the king know?*
vuoi portarla a Torino?	*will you take it to Turin?*
ho bisogno di due navi	*I need two ships*
li ho mandati qui	*I've sent them here*
non sono stato di grande aiuto	*I haven't been much help*
hai fatto il tuo dovere	*you've done your duty*

Historical Note: ***Garibaldi and the Thousand***
In May 1860 the Kingdom of Italy, with its capital at Turin, comprised only the northern part of present-day Italy together with Sardinia. Most of the rest of the country including Sicily made up the Kingdom of the Two Sicilies with its capital at Naples. By November 1860 Italy as we know it today, except for areas around Rome and Venice, had been formed.

This dramatic change was largely due to Garibaldi, who sailed from Quarto near Genoa with only 1072 men in two small ships on 5th May 1860. Disembarking in Sicily at Marsala, Garibaldi and his men overwhelmed superior Neapolitan forces at Calatafimi and took Palermo, with its garrison of 20,000, after a short siege.

After conquering Sicily, Garibaldi crossed the straits of Messina (with British naval help), and marched on Naples. At the same time the cunning Cavour, Prime Minister of Italy, sent the Italian army south. Garibaldi won a decisive battle against the Neapolitans at Volturno. Then, much to Cavour's relief, he handed over his conquests to the King of Italy, Victor Emmanuel, at Teano.

TEACHING SCENE

Renzo in Claudia's living-room. They are drinking coffee.

Renzo Quando l'hai vista?
Claudia Giulia? L'ho incontrata giovedì. Zucchero?
Renzo No, grazie.
Claudia E poi non l'ho più vista. La rivista l'ha mandata a Napoli.
Renzo Napoli? *(Claudia nods)* E Mario?
Claudia Mario è in Umbria. Ha deciso di abitare in un vecchio monastero. Da solo.
Renzo Ha comprato un monastero?
Claudia *(Laughing)* Oh no, non l'ha comprato. Ha affittato una camera.
Renzo Così Mario e Giulia hanno lasciato Roma . . .
Claudia Sì. E tu, quando li hai visti?
Renzo Ho incontrato Giulia due settimane fa alla caccia di un santo. L'ha trovato?
Claudia Sì.
Renzo L'ha trovato!
Claudia Sì. Morto. Un altro caffè?
Renzo No, grazie. E Mario, come sta?
Claudia Sta bene. In Umbria ha incontrato l'ispirazione, ha trovato la poesia.
Renzo E Giulia?
Claudia Giulia ha pubblicato un libro di fotografie, ha firmato un nuovo contratto con . . .
Renzo Ha proprio deciso di chiedere la separazione?
Claudia Sì.
Renzo Ma perchè l'ha chiesta?
Claudia Giulia e Mario hanno due caratteri così diversi, e poi . . .
Renzo Chi è l'altra donna?
Claudia Non so. Non l'ho mai incontrata.
Renzo Povera Giulia. Ha bisogno di amici. Perchè l'hai lasciata partire?
Claudia Ma . . .
Renzo *(After a pause, he points to a painting)* Quel quadro è di Mario, vero?
Claudia Sì. *(Indicating another painting)* Anche quello è di Mario. Li ho comprati insieme.
Renzo Mario li ha venduti a poco prezzo, naturalmente.

WORDS AND PHRASES

l'ho incontrata giovedì	*I met her on Thursday*
e poi non l'ho più vista	*and I haven't seen her since*
ha affittato una camera	*he's rented a room*
alla caccia di	*in pursuit of*
come sta?	*how is he?*
ha firmato un contratto	*she's signed a contract*
perchè l'hai lasciata partire?	*why did you let her go?*
quel quadro è di Mario, vero?	*that painting's by Mario, isn't it?*

EXPLANATIONS

1 ***More about the recent past:* avere *verbs preceded by* lo, la, li, le**

When lo, la, li, le *are used with* avere *verbs*

(1) lo *and* la *are shortened to* l'

(2) *the past participle* (visto, comprato *etc.*) *has* –o –a –i –e *endings to match.*

PEOPLE:

Ho visto	Franco Luisa Piero e Anna quelle straniere

Quando	**l'** **l'** **li** **le**	hai / ha	visto vist**a** vist**i** vist**e**	?

When did you see him/her/them?

THINGS:

Ho	comprato	l'appartamento la macchina i biglietti quelle sigarette

Perchè	**l'** **l'** **li** **le**	hai / ha	comprat**o** comprat**a** comprat**i** comprat**e**	?

Why did you buy it/them?

2 ***Basic greetings***

How are you?

I'm fine thanks. And you?

Come	**stai,** Piero	?
	sta, signore	

Sto bene, grazie.	E tu?
	E Lei?
Sto male. *(I feel terrible)*	

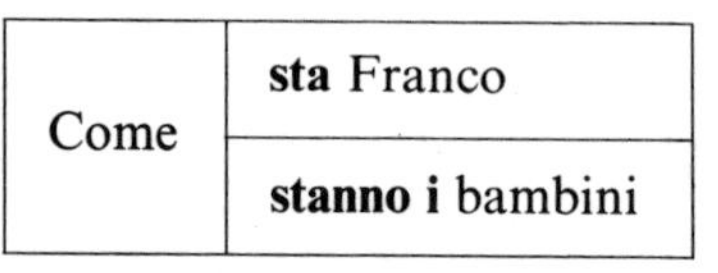

Come	**sta** Franco	?
	stanno i bambini	

How's Franco?
How are the children?

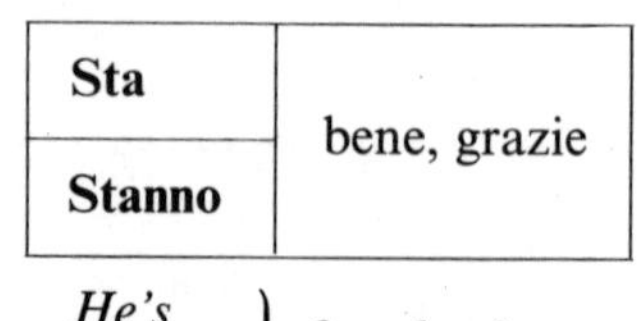

Sta	bene, grazie
Stanno	

He's / *They're* } *fine thanks.*

3 ***quel*** *and* ***quello***

Quello è brutto. *but* **Quel** vestito è brutto.
Quello è di Mario? **Quel** quadro è di Mario.

Quel *is used immediately before* **il-** *words.*

TALKING PRACTICE

I *Give brief answers to the following questions using* **lo, la, li, le.**

a) *Teaching scene*

Mario ha comprato il monastero? — No, non l'ha comprato.
1 La rivista ha mandato Giulia a Napoli? — Sì, ...
2 Renzo ha visto Giulia ieri? — ....
3 Giulia ha trovato il santo morto? — ....
4 Claudia ha incontrato 'l'altra donna', l'amica di Mario? — ....
5 Ha comprato i due quadri? — ....

b) *Cartoon story*

Bertoldo ha portato la lettera di Garibaldi al re? — Sì, l'ha portata.
1 Il re ha visto i mille volontari? — No, ...
2 Bertoldo ha incontrato il re e Cavour? — ....
3 Ha trovato le navi per Garibaldi? — ....
4 Garibaldi ha trovato le navi? — ....

II *After what happened last Friday you don't want to see Anna or any of her friends again.*

Come sta Silvia? — Non l'ho più vista, e non voglio vederla più.
1 E Alfonso? — ....
2 E quelle due siciliane? — ....
3 Come stanno i fratelli di Anna? — ....
4 Davvero? E Anna, la tua carissima Anna? — ....

Cos'è successo? — Una cosa brutta. Bruttissima. Ma non voglio parlarne con nessuno. (parlarne *to talk about it*)

III *These questions are about your own experiences. The first one has sample answers.*

a) Hai mai visto il Colosseo? — Sì, l'ho visto. *or* No, non l'ho mai visto.
1 Hai mai visto la casa di Shakespeare a Stratford? — ....
2 Hai mai visto i quadri della Galleria Nazionale di Londra? — ....
3 Hai visto l'ultimo film di Hitchcock? — ....
4 Hai mai visto le sculture di Michelangelo a Firenze? — ....

b) Vuoi vedere il Colosseo? — Sì, vorrei vederlo.
or No, non voglio vederlo.
or Come ho detto, l'ho già visto.

5 Vuoi vedere la casa di Shakespeare? ....
6 Vuoi vedere l'ultimo film di Hitchcock? ....
7 Vuoi vedere i quadri della Galleria Nazionale? ....
8 Vuoi vedere le sculture di Michelangelo a Firenze? ....

IV *This morning in a burst of activity, you've taken a new flat and moved into it.*

stamattina = questa mattina

Quando devi **vedere** l'avvocato? — L'ho **visto** stamattina.
Hai deciso di **firmare** i contratti? — Li ho **firmati** stamattina.

1 Quando **prendi** le chiavi? .... stamattina.
2 Ma non devi **vedere** la proprietaria prima? .... stamattina.
3 Allora adesso devi **preparare** le valigie. .... stamattina.
4 Quando **fai** il trasloco? *(the move)* .... stamattina.
Hai fatto tutto in una mattinata? — Sei un fenomeno!

SYNOPSIS OF COMPREHENSION SCENES

Giulia and Silvia, a leading model, at work in Naples.

In bed that night Giulia has a nightmare.

Ugo, a small-time crook with an unspecified hold over Silvia, asks Silvia for information about Giulia.

Later, Silvia discovers that Mario's flat in Rome is empty.

13 LIKES AND DISLIKES

LE AVVENTURE DI BERTOLDO BERTOLINI

Garibaldi – Parte Seconda

Evening. Garibaldi's two ships ready to sail.

Narrator La spedizione dei Mille è in partenza per la Sicilia.

Evening at sea. Five days later. B.B. at the helm. Others on deck eating.

Narrator Cinque giorni dopo, a bordo.

Luigi Questa minestra è veramente cattiva. *(To B.B.)* Capitano, Le piace la minestra?

B.B. No, non mi piace troppo.

Renato Mia moglie è un'ottima cuoca.

Arturo Qual'è la sua specialità?

Renato Cannelloni, lasagne, ravioli, agnolotti, saltimbocca, osso buco . . .

All *(Angrily)* Basta! Basta! Basta!

Garibaldi appears on deck.

Garibaldi Cosa c'è? Voglio disciplina a bordo.

Cavour's residence in Turin. The King and Cavour enjoying dinner.

Narrator A Torino.

Cavour Maestà, preferisce cannelloni o ravioli?

King Che barba: i soliti cannelloni, i soliti ravioli.

Cavour Ma, Maestà . . .

King Come vorrei una semplice minestra. Ha notizie di Garibaldi?

Cavour *(Amused)* È ancora in viaggio per la Sicilia.

Garibaldi on deck, going around to his men.

Garibaldi Allora, Mario, come va?

Mario *(Sea-sick)* Non molto bene, Generale: non mi piace il mare.

Garibaldi Pazienza, ragazzo, siamo quasi arrivati. *(To Ernesto who is playing a harmonica)* Salve, Ernesto.

Ernesto Buona sera, Generale. Le dà fastidio se suono l'armonica?

Garibaldi No, non mi dà fastidio. Che cosa suoni?

Ernesto Suono un pezzo di Verdi. *(Plays a bar or two)* Le piace questa musica, Generale?

Garibaldi Sì, molto. Verdi è uno di noi. È un vero patriota.

Later, B.B. and Garibaldi in the main cabin.

Narrator Un'ora dopo.

B.B. Come mi piace viaggiare in nave!

Garibaldi Specialmente di notte. Beviamo un bicchiere di vino?

B.B. Volentieri.

Garibaldi Preferisci bianco o rosso?

B.B. *(Saluting)* Bianco, rosso e verde, Generale.

Garibaldi Bravo Bertoldo. *(Gives B.B. a drink)* All'Italia!

B.B. All'Italia e alla nostra vittoria!

A cannon shot is heard.

Sailor *(Shouts)* Generale, navi in vista!

All hands on deck. B.B. and Garibaldi on the bridge. To starboard a fleet of warships. To port another fleet guarding the coast of Sicily.

Garibaldi Coraggio, ragazzi! Pronti per la battaglia!

QUESTA MINESTRA È VERAMENTE CATTIVA. CAPITANO, LE PIACE LA MINESTRA?
NO, NON MI PIACE TROPPO.
LE DÀ FASTIDIO SE SUONO L'ARMONICA?
NO, NON MI DÀ FASTIDIO.

COME VORREI UNA SEMPLICE MINESTRA
HA NOTIZIE DI GARIBALDI?

COME MI PIACE VIAGGIARE IN NAVE!

WORDS AND PHRASES

a bordo	*on board*
Le piace la minestra?	*do you like the soup?*
cosa c'è?	*what's the matter?*
ha notizie di Garibaldi?	*do you have news of Garibaldi?*
è ancora in viaggio per . . .	*he's still on the way to . . .*
come va?	*how are you? (how's it going?)*
Le dà fastidio se suono?	*do you mind if I play?*
Verdi è uno di noi	*Verdi is one of us*
come mi piace viaggiare!	*how I like travelling!*
navi in vista!	*ships in sight!*

TEACHING SCENE

Mario and Giulia's flat in Rome.

Francesca *(Showing Sandra into the drawing-room)* Questo è il soggiorno.
Sandra Mi piace molto.
Francesca Davvero?
Sandra Non ti piace?
Francesca Ma . . . certe cose mi piacciono. Altre cose non mi piacciono. *(Looks at some pieces of sculpture)* Queste sculture, per esempio . . .
Sandra Non ti piacciono?
Francesca Sono morte. Detesto le cose morte, preferisco i colori. *(Indicates colourful paintings)* Mi piace la vita. Mi piace giocare con la vita.
Sandra Francesca . . .
Francesca Ti dà fastidio se metto un disco?
Sandra No, non mi dà fastidio, ma . . .
Francesca Preferisci jazz o Beethoven?
Sandra Preferisco . . . è lo stesso. Francesca . . .
Francesca Sandra cara, niente prediche. Sono in questo appartamento e ci resto. Sono una ragazza ostinata, lo sai.
Sandra E Mario, cosa pensa delle ragazze ostinate?
Francesca Gli piacciono.
Sandra Gli piacciono anche quando sono nel suo appartamento senza . . .
Francesca Basta. Mi dà fastidio sentire sempre le stesse cose.
Telephone rings.
Francesca È Mario.
Sandra O la moglie di Mario.
Telephone stops ringing. Sandra is now looking at photograph of Giulia, who is wearing a large hat.
Sandra Ah! Una fotografia di Giulia.
Francesca Sì.
Sandra Giulia porta spesso il cappello, vero?
Francesca Le piacciono i cappelli. *(Sarcastically)* Le dà fastidio il sole. Preferisce l'ombra.
Sandra Vuole proteggere il viso.

Francesca Le dà fastidio la realtà.
Sandra È una donna timida.
Francesca Debole.
Sandra Timida.
Francesca È lo stesso.
Sandra No, non è lo stesso.
Francesca Allora, Giulia ti piace.
Sandra Sì, mi piace e trovo che sei ingiusta con lei. *(Seeing Francesca's annoyance)* Va bene, non ti piacciono le prediche. Francesca, solo un consiglio . . .
Francesca Odio anche i consigli. *(Sandra starts to leave)* Dove vai?
Sandra A casa.
Francesca Chiamo un taxi.
Sandra No, grazie, vado a piedi.
Francesca Come preferisci.

WORDS AND PHRASES

mi piace la vita	*I like life*
ti dà fastidio se metto un disco?	*do you mind if I put a record on?*
è lo stesso	*it's all the same*
niente prediche	*no sermons*
ci resto	*I'm staying here*
cosa pensa delle ragazze ostinate?	*what does he think of obstinate girls?*
gli piacciono	*he likes them*
le dà fastidio la realtà	*reality worries her*
odio anche i consigli	*I also hate pieces of advice*

EXPLANATIONS

1 *How to say: 'I like . . .'*

Mi piace	viaggiare questo vestito Sua nonna

I like { *travelling.* / *this dress/suit.* / *your grandmother.*

If you're talking about more than one person or thing

Mi piacciono	le Sue scarpe Carlo e Anna

I like { *your shoes.* / *Carlo and Anna.*

2 *How to say: 'I don't like . . .'*

Non mi piace	Alfonso
Non mi piacciono	i bambini

I don't like Alfonso.
I don't like children.

Or, if you feel strongly about it

Odio **Detesto**	Alfonso i bambini

I hate Alfonso.
I loathe children.

3 *How to say: 'Do you like . . . ?' 'Don't you like . . . ?'*

(Non)	**ti**	**piace** il vino	Maria	?
		piacciono le olive		
	Le	**piace** Roma	signore	
		piacciono le patate		

4 *How to talk about someone else's likes and dislikes*

(Non)	**gli**	**piace** lavorare
		piacciono le macchine
	le	**piace** mio fratello
		piacciono i vini dolci

He likes / *(He doesn't like)* } *working.* / *cars.*

She likes / *(She doesn't like)* } *my brothers.* / *sweet wines.*

5 ***How to express preference***

Preferisci	il tè o il caffè	Sandra	?	*Do you prefer . . . ?*
Preferisce	queste scarpe o quelle	signorina		

Preferisco	il tè quelle scarpe lì	*I prefer . . .*

6 **lo** *and* **uno** *When a word begins with s and a consonant* (st, sp, sv) *or with* z *use* lo *and* uno *instead of* il *and* un:

uno studente **uno** straniero **lo** stesso **lo** zucchero **lo** sport

7 ***Annoyances***

Ti	**dà fastidio**	il rumore	Maria	?	Sì	**mi dà fastidio**
Le		se fumo	signore		No, non	

Do you mind { *the noise . . .* / *if I smoke . . .* } *?*

Yes, I do mind.
No, I don't mind.

TALKING PRACTICE

I *Listen to the teaching scene and read the text before answering.*

Use these forms: **le piace** **le piacciono**
non le piace **non le piacciono**

1 Cosa pensa Sandra del soggiorno? ....
2 Cosa pensa Francesca delle sculture? ....
3 Cosa pensa Francesca delle cose morte? ....
4 E della vita? ....
5 Cosa pensa delle prediche? ....
6 E dei consigli? ....
7 Cosa pensa di Giulia? ....
8 E Sandra, cosa pensa di Giulia? ....

II *Listen to the cartoon story and read the text before answering.*

Use these expressions: **gli piace** **gli piacciono**
non gli piace **non gli piacciono**

1 Luigi vuole mangiare la minestra? No, ...
2 Bertoldo è contento di viaggiare in nave? Sì, ...
3 Mario è contento di viaggiare in nave? ....
4 Il re vuole mangiare i cannelloni? ....
5 Cosa pensa Renato delle lasagne di sua moglie? ....
6 Garibaldi è contento di sentire un po' di musica? ....
7 Cosa pensa di Verdi? ....

III *You have luxury tastes but are low in funds. Economise by choosing the waiter's second suggestion.*

Preferisce il caviale o le alici? *(caviar) (anchovies)* — Preferisco il caviale, ma purtroppo ho pochi soldi. Prendo le alici.

1 Preferisce i ravioli o una minestra? ....

2 Preferisce lo spumante o la birra? *(sparkling wine)* ....

3 Preferisce l'aragosta o lo spezzatino? *(lobster) (stew)* ....

4 Preferisce la macedonia o una mela? *(fruit salad) (apple)* ....

5 Cosa vuole dopo, signore? Un cognac, un caffè . . . ? ....

IV **Mi piace mi piacciono** *What are your personal tastes?*

Le piace il tè con zucchero o senza? — Mi piace con zucchero. *or* Mi piace senza. *or* Non mi piace il tè.

1 Le piace con latte o con limone? ....

2 Le piace il whisky con acqua o senza? ....

3 Le piace il caffè con molto latte o con poco? ....

4 Le piacciono le sigarette con filtro o senza? ....

5 Le piacciono i giornali di destra o quelli di sinistra? ....

V *You're at an outdoor café with your girl-friend who is appraising everyone and everything that passes along the street in front of her.*

She: È brutto quel vestito. — *You:* Non ti piace?

No. Le scarpe sì, però. — Ti piacciono?

1 Sono eleganti. E vanno bene con quella borsetta. ....?

2 Sì, mi piace. Hai visto quel signore nella Mercedes? ....?

3 Sì, è un bel tipo. E quei due ragazzi biondi! ....?

4 Sì, molto. Quel cappotto è assurdo. ....?

5 È brutto. I guanti sono carini, però. *(nice)* ....? I guanti, sì.

SYNOPSIS OF COMPREHENSION SCENES

Ugo tells Silvia of his plan to copy Giulia's keys and so burgle Mario's flat in Rome.

Francesca receives a 'phone call from Mario, who tells her to get out of his flat. She refuses.

Giulia and Silvia at work in Naples. Giulia is tense and tells Silvia about the crucial decision facing her.

Ugo enters the flat in Rome and finds Francesca . . .

14 COMPARISONS

LE AVVENTURE DI BERTOLDO BERTOLINI

Garibaldi – Parte Terza

Garibaldi and B.B. on board ship during a brief sea-battle off Marsala.

Narrator Dopo una breve battaglia, i garibaldini arrivano a Marsala.

Garibaldi lands at Marsala. On the beach a priest and a group of men carrying scythes, pitch-forks, etc. approach him.

Priest Benvenuti, fratelli. Siete francesi, tedeschi?

Garibaldi No, siamo italiani. Siamo venuti per liberare la Sicilia.

Priest Grazie a Dio! *(Pointing to locals)* Anche questi uomini vogliono combattere per l'unità d'Italia. *(Cheers)*

Garibaldi Avanti con noi, ragazzi!

Garibaldi's men set off towards Calatafimi.

Narrator I garibaldini prendono la strada per Calatafimi.

As they go along their numbers swell.

Narrator Arrivano a Calatafimi.

B.B. *(Seeing the large enemy army)* Abbiamo meno uomini del nemico. Come facciamo?

Garibaldi Forza, Bertoldo! I nostri sono più coraggiosi. *(To his men)* All'attacco, ragazzi!

Garibaldi, sword in hand, charges into the battle.

B.B. *(Thinks)* Devo salvarlo.

B.B. intervenes and saves Garibaldi's life.

Garibaldi Bertoldo, hai salvato la vita del tuo generale.

B.B. Gli italiani hanno bisogno di te.

In camp after the battle.

Narrator Dopo la battaglia.

Garibaldi Bravi! Abbiamo vinto una grande battaglia.

B.B. Ma la guerra non è ancora finita.

The next day the Garibaldini leave their camp.

Narrator I garibaldini partono per Palermo.

The Garibaldini march to Palermo and liberate the city.

Narrator Quindici giorni dopo la città è liberata.

Garibaldi and his troops enter Palermo to cheering crowds.

Narrator Gli abitanti di Palermo salutano gli uomini di Garibaldi.

Later, victory celebrations in the countryside.

Narrator Quella sera, grande festa.

B.B. *(Mildly drunk)* I vini siciliani sono più forti dei vini del nord.

Garibaldi Ti piacciono le ragazze siciliane?

B.B. Sì, molto.

A messenger arrives.

Messenger Generale, i nemici preparano un altro attacco.

Garibaldi Addio buoni vini, dolci ragazze. L'unità d'Italia mi chiama!

GLI ABITANTI DI PALERMO SALUTANO GLI UOMINI DI GARIBALDI.
I VINI SICILIANI SONO PIÙ FORTI DEI VINI DEL NORD.

GLI ITALIANI HANNO BISOGNO DI TE.

GRAZIE A DIO! ANCHE QUESTI UOMINI VOGLIONO COMBATTERE PER L'UNITÀ D'ITALIA.

WORDS AND PHRASES

siamo venuti per liberare la Sicilia	*we've come to liberate Sicily*
grazie a Dio!	*thank God*
abbiamo meno uomini del nemico	*we've got less men than the enemy*
hai salvato la vita del tuo generale	*you've saved your general's life*
gli italiani hanno bisogno di te	*the Italians need you*
i vini siciliani sono più forti dei vini del nord	*Sicilian wines are stronger than northern wines*

TEACHING SCENE

Francesca is watching a TV set in Mario's flat. The daily show In Diretta *is on. It consists of a series of interviews. Renzo is asked about the English football team.*

Renzo Gli inglesi? Certo, anche loro sono forti.
Interviewer Più forti dei giocatori italiani?
Renzo Più forti? Meno forti? Gli inglesi sono più ordinati degli italiani.
Interviewer Vuole dire che gli italiani hanno meno senso di disciplina degli inglesi? Perchè?
Renzo Non so. Forse perchè i giocatori italiani sono più individualisti dei giocatori inglesi . . . Non so . . .

Tubby man Dicono che gli inglesi mangiano sempre pudding. Dicono che i tedeschi mangiano soltanto patate e che gli italiani mangiano sempre pasta. Sono tutte storie.

Playboy È vero. Le donne del nord: le inglesi, le svedesi, le danesi, sono più fredde delle donne italiane. Deve essere la temperatura.

Tubby man Dicono che gli inglesi bevono sempre tè, che i tedeschi bevono soltanto birra e che gli italiani bevono sempre vino. Sono tutte storie.

Girl Inglesi, francesi, italiani, per me è lo stesso. Non ho preferenze.

Playboy Sì, le francesi hanno più classe delle tedesche. Mi piacciono le francesi nelle serate eleganti e le tedesche nei pomeriggi di pioggia.

Girl Per me è lo stesso. Non ho preferenze.

Tubby man Dicono che gli inglesi hanno la vita lunga. Dicono che i tedeschi hanno la vita corta e che gli italiani hanno la vita brevissima. Sono tutte storie.

Interviewer Qual'è la migliore squadra del mondo?
Renzo Ci sono squadre migliori di altre, ma una squadra migliore di tutte non esiste. È solo questione di forma.

Playboy Quando una ragazza dice: 'No', io dico: 'Quello che non le piace oggi, le piacerà domani'. È sempre così.

Annoyed, Francesca switches off.

WORDS AND PHRASES

gli inglesi sono più ordinati degli italiani	*the English are more organised than the Italians*
dicono che . . .	*they say that . . .*
sono tutte storie	*it's all rubbish*
le inglesi sono più fredde delle donne italiane	*English women are colder than Italian women*
nelle serate eleganti	*on sophisticated evenings*
nei pomeriggi di pioggia	*on rainy afternoons*
hanno la vita brevissima	*they have a very short life*
qual'è la migliore squadra del mondo?	*which is the best team in the world?*
quello che non le piacerà oggi, le piacerà domani	*what she doesn't like today, she'll like tomorrow*

EXPLANATIONS

How to say: 'They . . .'

-are *words*

Questi turisti I due inglesi	**fumano** **mangiano**	molto

These tourists / The two English people { smoke / eat } a lot.

-ere *and* **-ire** *words*

Sì, e	**spendono** **dormono**	molto

Yes, and they { spend / sleep } a lot.

Take particular care with the stress:

fu**ma**re *but* **fu**-ma-no
man**gia**re *but* **man**-gia-no
dor**mi**re *but* **dor**-mo-no

2 **i** *and* **gli**

gli *is used instead of* i *when the next word begins with a vowel*

gli italiani, **gli i**nglesi

or with sc, sv, sp *etc.*

gli scozzesi, **gli sv**edesi

gli *forms a single word with* di, in, a *etc.*

di + gli = degli a + gli = agli in + gli = negli *etc.*

3 ***adjectives ending in* -e *have only two forms***

SINGULAR

un ragazzo una macchina	inglese

PLURAL

ragazzi macchine	ingles**i**

4 **dire**

(io)	dico	*pronounced (dee–koh)*
(tu)	dici	*(dee–tshee)*
(Lei; lui/lei)	dice	*(dee–tshay)*
(noi)	diciamo	*(dee–tshah–moh)*
(loro)	dicono	*(dee–kohnoh)*

5 **più di** *more than* **meno di** *less than*

Practise these forms by making up sentences based on the box below. Here you can make wild generalizations about: ***(a)*** *men and women* ***(b)*** *the English, the Irish, the Scots and the Welsh* (i gallesi) *etc.*

gli	scozzesi uomini inglesi italiani	bevono		degli	
i	francesi tedeschi danesi gallesi	mangiano lavorano	**più** **meno**	dei	. . . .
le	italiane donne inglesi irlandesi	parlano		delle	

gli	uomini inglesi				degli	
i	francesi tedeschi	sono	**più** **meno**	intelligenti stupidi/e forti timidi/e sexy	dei	. . . .
le	donne italiane				delle	

TALKING PRACTICE

I *Listen to the cartoon story and read the text, then give brief answers.*

1 I garibaldini hanno più uomini o meno uomini del nemico? .... uomini.
2 Sono meno coraggiosi del nemico? .... coraggiosi.
3 I vini del nord sono più forti o meno forti dei vini siciliani? ....
4 I garibaldini hanno perso o vinto la battaglia di Calatafimi? ....
6 Cosa pensa Bertoldo delle ragazze siciliane? ....

II *You arrived in Sicily yesterday for a short holiday. Answer the waiter's questions.*

1 Siete stranieri? Sì, ...
2 Siete inglesi? ....
3 Siete arrivati oggi? No, ...
4 Siete qui per molto tempo? No, ...
5 Siete in vacanza? ....
Allora buon divertimento! Grazie.

III *Remind the poor fellow who's talking to you that his fate is a common one.*

un impiegato *a white-collar worker*

Non mi piace lavorare dalle nove alle sei. — Ma tutti gli impiegati lavorano dalle nove alle sei.

1 Non mi piace avere i capelli corti. *(short hair)* ....

2 Non mi piace portare la cravatta. ....

3 Non mi piace avere vacanze brevi. ....

4 Non mi piace lavorare per uno stipendio misero. *(low wage)* ....

A proposito, Lei che fa? — Io? Sono un attore. Non mi riconosce? *(recognise)*

IV *Remind your individualistic friend that she's in danger of becoming unfashionable.*

primavera *spring* **estate** *summer* **autunno** *autumn* **inverno** *winter*

Non mi piace portare i vestiti lunghi. — Ma quest'anno tutte le ragazze portano i vestiti lunghi.

1 Non mi piace camminare a piedi nudi. — Ma quest'estate ....

2 Non mi piace discutere di politica. — Ma quest'autunno ....

3 Non mi piace mettere il rossetto. — Ma questa primavera ....

4 Non mi piace avere i capelli verdi. *(green)* — Ma quest'inverno ....

5 Non mi piace andare a letto con i ragazzi. — Ma quest'estate ....

V *What a family!*

1 Quando dico che voglio mangiare fuori, mia moglie dice che vuole mangiare a casa.
Quando dico che voglio mangiare a casa, mia moglie dice .... fuori.

2 Se dico che voglio guardare la televisione, i miei figli dicono che vogliono andare al cinema.
Se dico .... al cinema, i miei figli ....

3 Se dico che non posso uscire, tutti dicono che vogliono fare una gita.
Ma se io dico che .... una gita, tutti ....
E se io dico che voglio andare in montagna, loro dicono che vogliono andare al mare.
Però, se dico che .... mare, loro .... montagna. Odio la mia famiglia.

SYNOPSIS OF COMPREHENSION SCENES

Francesca threatens to call the police. Ugo panics, strikes her, and runs away.

On a beach near Naples, Patrizio, the lawyer, and a girl friend, Lea, are relaxing. Giulia arrives unexpectedly.

15 INSTRUCTIONS: *How does it work? How do I say . . . ?*

LE AVVENTURE DI BERTOLDO BERTOLINI

Garibaldi – Parte Quarta

In the heat of the battle of Milazzo B.B. gallops up to Garibaldi.

Garibaldi Cosa ti ha detto il Capitano Farini?
B.B. Mi ha detto che ha bisogno di aiuto.
Garibaldi Ti ha chiesto aiuto! Vigliacco! Ti do il comando delle sue truppe.
B.B. Grazie, Generale.

B.B. gallops off. The battle continues. Later, Garibaldi, B.B. and men are resting around a camp fire.

Narrator Dopo la battaglia.
Garibaldi La Sicilia è nostra. Bisogna mandare un telegramma al re.
B.B. Subito. Che cosa gli devo dire?
Garibaldi Solo quattro parole: la Sicilia è italiana. *(Cheers)*

B.B. in the ruined town. He sees a sign: 'Poste e Telegrafi'. *A Sicilian is watching him.*

Narrator Bertoldo va in paese e cerca un ufficio postale.
B.B. *(To Sicilian)* Mi sa dire dov'è l'ufficio postale?
Sicilian *(Points)* Eccolo.

B.B. and the Sicilian inside ruined, empty telegraph office.

B.B. *(Thinks)* Non c'è nessuno. *(Tries morse-key)* Non funziona. *(To Sicilian)* È guasto.
Sicilian No, non è guasto.
B.B. Allora, mi può spiegare come funziona?
Sicilian Si fa così. *(He unhooks a catch on the key)* Adesso funziona. *(B.B. sends the message)*

The King and Prime Minister Cavour in Turin.

Narrator Il re e Cavour a Torino.

The King opens B.B.'s message.

King Ah! Un telegramma di Garibaldi.
Cavour Che cosa Le dice, Maestà?
King *(Reading)* Mi dice che ha liberato la Sicilia. Cosa gli rispondo?

Anxious, Cavour imagines Garibaldi taking his place as Prime Minister.

Cavour *(Thinks)* Garibaldi non deve liberare il meridione da solo: diventa troppo potente. Devo prendere parte anch'io alla battaglia finale.
King E allora, cosa gli scrivo?
Cavour Gli scriviamo che siamo con lui.

Back at the camp. The King's message is received. Garibaldi calls his men.

Garibaldi Il re ha ricevuto il nostro telegramma. Mi ha risposto così: *(Reads)* 'Siamo con voi! Ci vediamo a Napoli. Viva l'Italia!'
Soldiers Viva l'Italia!

ALLORA, MI PUÒ SPIEGARE COME FUNZIONA?
SI FA COSÌ.
GARIBALDI NON DEVE LIBERARE IL MERIDIONE DA SOLO: DIVENTA TROPPO POTENTE. DEVO PRENDERE PARTE ANCH'IO ALLA BATTAGLIA FINALE.
LA SICILIA È NOSTRA. BISOGNA MANDARE UN TELEGRAMMA AL RE.

WORDS AND PHRASES

ti ha chiesto aiuto?	*he asked you for help?*
che cosa gli devo dire?	*what should I say to him?*
mi sa dire dov'è l'ufficio postale?	*can you tell me where the post office is?*
non c'è nessuno	*there's no one here*
non funziona	*it doesn't work*
mi può spiegare?	*can you explain to me?*
si fa così	*this is how you do it*
diventa troppo potente	*he'll become too powerful*
devo prendere parte anch'io . . .	*I too must take part . . .*
gli scriviamo che siamo con lui	*we'll write to him (to say) we're with him*

TEACHING SCENE

Photographic studio. Silvia is confronted by a very bizarre outfit. It consists of a steel skirt and a steel jacket with a huge zip. There is also a steel helmet.

Silvia Devo mettere questo?
Valentino Sì, signorina.
Silvia Che cos'è?
Valentino È un vestito. Questa è la gonna. Questa è la giacca e questo è il cappello. *(Puts the helmet on Silvia's head)* Capisce?
Silvia Capisco, ma come si fa a mettere questa gonna?
Valentino Si mette come ogni altra gonna. Avanti, coraggio.
Silvia Non capisco . . .
Valentino Si fa così: prima i piedi. *(She steps into skirt)* Ecco. Adesso deve fare così. *(He ties a knot around her waist)* Ecco. E adesso la giacca.
Silvia E questa è una giacca?
Valentino Esatto. Si dice 'giacca'.
Silvia Quando la giacca è di metallo si dice 'armatura'.
Valentino Va bene. Noi sarti diciamo 'giacca', voi modelle potete dire 'armatura'.
Silvia Questi sarti non sanno più cosa inventare. Ahi!
Valentino Calma, signorina, calma.
Silvia Ma è pesante.
Valentino *(Trying the zip)* C'è qualcosa che non funziona.
Silvia Ahi!
Valentino Ecco, adesso funziona.
Silvia Piano!
When Valentino gets the zip to the top it breaks.
Valentino La cerniera!
Silvia *(Breathing with difficulty)* Aiuto! Soffoco! Ahhh!
Valentino Calma, signorina, calma.
Silvia *(Trying to unfasten the zip)* Come si fa ad aprire?
Valentino Si apre così.
He tries to force the zip. Silvia faints. Valentino's assistant enters.
Assistant È morta?
Valentino Morta! È solo svenuta. Povero me! Che cosa si può fare?
Assistant Signorina . . .

Valentino *(Frantically)* Dobbiamo chiamare un meccanico. Bisogna riparare questa cerniera. È guasta. Non funziona.
Assistant La signorina deve prendere un po' d'aria. Si può togliere questo elmetto?
Valentino Non si dice 'elmetto', si dice 'cappello'. Dov'è il telefono?
The assistant removes the helmet. Silvia comes round.
Silvia Oh, dove sono?
Valentino Ah, finalmente. Presto, presto, cara signorina, il fotografo aspetta. Su, coraggio.
Silvia Posso . . .
Valentino Cosa c'è?
Silvia Posso avere un bicchiere d'acqua?
Valentino Certo. Presto, un bicchiere d'acqua per la signorina. *(Assistant gets water)* Ecco. Ecco l'acqua. Coraggio. È pronta per le fotografie?
Assistant Ma, la cerniera.
Valentino Non importa. La giacca è chiusa. Questo è l'importante.
Silvia Si può chiamare un medico?
Valentino Prima le fotografie e poi il medico. Dov'è l'elmetto? Voglio dire il cappello.
Valentino helps Silvia to get up and takes her to the door.
Valentino *(To the assistant)* Un meccanico, presto!

WORDS AND PHRASES

come si fa a mettere questa gonna?	*how does one put this skirt on?*
si mette come ogni altra gonna	*one puts it on like any other skirt*
si dice 'giacca'	*one says 'jacket'*
noi sarti diciamo . . .	*we tailors say . . .*
voi modelle potete dire . . .	*you models can say . . .*
si apre così	*one opens it like this*
che cosa si può fare?	*what's to be done?*
è solo svenuta	*she's only fainted*
dobbiamo chiamare un meccanico	*we must call in a mechanic*
su	*up you get*
si può chiamare un medico?	*can a doctor be called?*

EXPLANATIONS

1 ***How to get instructions***

Come si fa a	aprire chiudere	questo	?

How do you . . . ?

Si	fa apre chiude	così.

You do it like this, etc.

2 *'How do you say . . . ?'*

Come si dice	*STD* *Common Market*	in italiano	?

Si dice	teleselezione MEC

3 *'Is it alright to . . . ?' 'Can one . . . ?'*

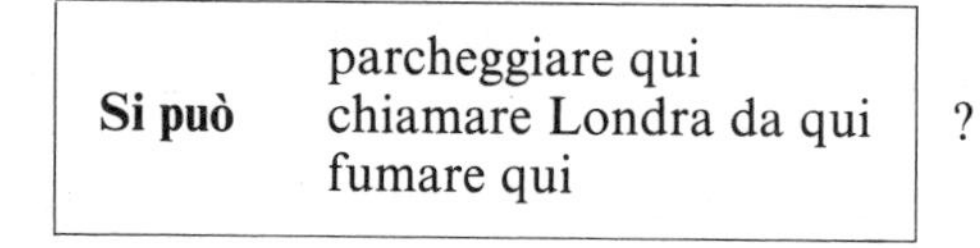

Si può	parcheggiare qui chiamare Londra da qui fumare qui	?

Sì, **No, non**	**si può.**

4 ***to me, to you, to him, to her***

to me	**mi**	ha	detto tutto
to you	**ti** **Le**		dato un regalo
to him	**gli**		
to her	**le**		

TALKING PRACTICE

I *Get another* **gli** *habit.*

Dopo la battaglia di Milazzo Garibaldi ha scritto una lettera al re? — No, gli ha mandato un telegramma.

1 Ha detto al re: 'La Sicilia è mia'? ....
2 Il re ha risposto a Garibaldi? ....
3 Ha scritto a Garibaldi: 'Sei troppo potente'? .... : 'Siamo con voi'.

II *Get another* **le** *habit.*

Il sarto ha detto a Silvia: 'Questo è l'elmetto'? — No, le ha detto: 'Questo è il cappello'.

1 Ha detto a Silvia 'Questa è l'armatura'? ....
2 Ha spiegato a Silvia come mettere la 'gonna'? .... come metterla.
3 Ha spiegato a Silvia come mettere la 'giacca'? ....
4 Prima di fare le fotografie, ha dato alla sua modella un bicchiere di latte? No, ... un bicchiere d'acqua.

III *Things aren't what they used to be, says Granny.*

Questi sarti non sanno più cosa inventare. — Inventano cose assurde.

1 Oggi gli artisti .... dipingere. *(paint)* — Dipingono ....
2 Questi giornalisti .... scrivere. — ....

3 Oggi i giovani .... fare. ....
4 Oggi nei negozi .... vendere. *(shops)* ....
5 Oggi le donne .... portare. ....
Lo so, nonna. Per te tutte le cose nuove sono assurde.

IV *Answer* **Sì, si può** *or* **No, non si può** *and add a further comment.*

Si può parlare con un elefante? — No, non si può. Gli elefanti non parlano.

1 Si può ballare con un ippopotamo? *(dance)* ....
2 Si può giocare con una scimmia? *(monkey)* ....
3 Si può giocare a tennis con un leone? ....
4 Si può nuotare con un cane? ....
5 Si può nuotare con un coccodrillo? .... ma è pericoloso.

V *Snapshot at a picnic. Complete this dialogue between the man with the camera and the group he's photographing.*

Sei pronta, Anna? — Sì, sono pronta.
1 E Lei, dottore, ...? Sì, ...
2 ...., Silvio, ...? ....
3 ...., signorina, ...? ....
4 Aldo, Francesca, ...? ....
5 I vostri bambini ....? ....
Tutti pronti allora. Un sorriso, per favore! È fatto.

VI *A colleague has just asked the boss for a rise, but it's the same old story.*

Ho parlato con il direttore. — Cosa gli hai detto?
'Devo avere un aumento.' *(rise)* — Cosa ti ha risposto?

1 'Quanto?' — ....detto?
2 'Trenta per cento.' *(30%)* — ....risposto?
3 'Lei è pazzo.' — ....?
4 'Non sono pazzo e insisto sul trenta per cento.' — ....?
5 'Trenta per cento allora, ma deve aspettare.' — ....?
6 'Fino a quando?' — ....?
'Fino a Natale.' — Risponde sempre così.

SYNOPSIS OF COMPREHENSION SCENES

Ugo has fled back to Naples and tells Silvia about the incident in Mario's flat. Silvia is shaken and wants to go to Rome to help Francesca. Ugo dissuades her forcibly.

At the beach. Patrizio and Giulia discuss her marriage. She asks him to delay the proceedings for her legal separation.

16 REVISION

LE AVVENTURE DI BERTOLDO BERTOLINI

Garibaldi – Parte Quinta

Naples at sunset. Troops admiring the panorama. Mandolins playing.

Narrator I garibaldini arrivano a Napoli di sera.
Maurizio *(To B.B.)* Che bella vista, Capitano. Le piace?
B.B. È bellissima.
Franco Conosce questa canzone?
B.B. No, non la conosco. È molto romantica.
Franco Le canzoni napoletane sono molto più romantiche delle nostre.
Maurizio Capitano, Napoli è così bella. Perchè non rimaniamo qui?
B.B. È impossibile: dobbiamo incontrare il re a Teano.

Teano. The troops are waiting for the King. A troupe of strolling players has arrived with a cart, on which is a small stage-set of the interior of a room with a table and cupboard.

Narrator Garibaldi e i suoi uomini sono arrivati a Teano e aspettano il re.

On the stage Colombina is laying the table.

Manager Avanti, avanti, signori! Presentiamo le avventure d'amore di Arlecchino.

Arlecchino enters with bunch of roses.

Arlecchino Colombina, amore mio! Come sei bella, come sei elegante.
Colombina Ah, mi hai portato dei fiori. Come sei gentile, Arlecchino.
Arlecchino Ti piacciono? Quando torna tuo marito?
Colombina Tardi.
Arlecchino Finalmente siamo soli!

Sound of footsteps.

Colombina Zitto! C'è qualcuno.
Arlecchino È tuo marito.
Colombina Presto, dentro l'armadio.

Arlecchino hides in cupboard. Pantalone, the husband, enters.

Pantalone Chi ti ha dato questi fiori?
Colombina Li ho comprati io, per il nostro anniversario.

Sudden excitement in the crowd.

Crowd Arriva il re! Viva il re!

The King, Cavour and troops arrive.

Gianni Hai mai visto il re?
Matteo No, non l'ho mai visto.
Gianni Come si fa a salutare un re?
Matteo Si dice: 'Ciao, Altezza!'.
Gianni Cretino!
King L'Italia meridionale è finalmente unita. Garibaldi, sei un eroe.
Garibaldi Grazie, Maestà, ma i veri eroi sono i miei uomini e soprattutto il capitano Bertolini.
Crowd Viva Bertolini!

Garibaldi turns to B.B.

Garibaldi Bertoldo, ho solo una cosa cara al mondo: la mia spada. *(Gives his sword to B.B.)* È tua.

BERTOLDO, HO SOLO UNA COSA CARA AL MONDO: LA MIA SPADA: È TUA.
LE CANZONI NAPOLETANE SONO MOLTO PIÙ ROMANTICHE DELLE NOSTRE.
VIVA BERTOLINI!
VIVA BERTOLINI!
SONO SENZA PAROLE.
AH, MI HAI PORTATO DEI FIORI. COME SEI GENTILE, ARLECCHINO.
TI PIACCIONO? QUANDO TORNA TUO MARITO?

B.B. *(Bursts into tears)* Sono senza parole.
Crowd Viva Bertolini!

The dream ends and B.B. finds himself holding on to the statue of Garibaldi in Turin. A policeman taps him on the shoulder.
Policeman Signore, cosa fa?
B.B. Non lo so. Sono senza parole.

WORDS AND PHRASES

di sera	*in the evening*
perchè non rimaniamo qui?	*why don't we stay here?*
mi hai portato dei fiori	*you've brought me some flowers*
come sei gentile	*how kind you are*
li ho comprati io	*I bought them*
hai mai visto il re?	*have you ever seen the king?*
come si fa a salutare un re?	*how does one greet a king?*
i veri eroi sono i miei uomini	*the real heroes are my men*
ho solo una cosa cara al mondo	*I've only one precious thing in the world*
è tua	*it's yours*
sono senza parole	*I'm speechless*

EXPLANATIONS

1 ***his, her, your***

IL-WORDS		LA-WORDS	
il **suo** appartamento	i **suoi** genitori	la **sua** casa	le **sue** sorelle
his/her flat	*his/her parents*	*his/her house*	*his/her sisters*

The same word is used for 'his' and 'her'. When written with a capital letter it means 'your':

il **Suo** appartamento	i **Suoi** genitori	la **Sua** casa	le **Sue** sorelle

2 **capire** *etc.*

a common pattern for **–ire** *verbs is:*

capire	**preferire**	**finire**		
cap**isco**	prefer**isco**	fin**isco**	*pronounced*	*. . . ees-koh*
cap**isci**	prefer**isci**	fin**isci**		*. . . ee-shee*
cap**isce**	prefer**isce**	fin**isce**		*. . . ee-shay*

3 **voi**

When speaking to more than one person use the voi *form*

	–are *verbs*	**–ere** *verbs*	**–ire** *verbs*
	(parlare) **parlate**	(prendere) **prendete**	(partire) **partite**
N.B.	(essere) **siete**		

TALKING PRACTICE

I *Listen to the cartoon story on the record and read the text. Then give brief answers.*

1 Arlecchino ha portato dei fiori o dei cioccolatini a Colombina? *(chocolates)*	Le ha portato ....
2 Ha detto cose carine a Colombina?	Sì, ...
3 Pantalone ha dato dei fiori a sua moglie?	....
4 Ha detto cose carine alla sua Colombina?	....
5 Garibaldi ha dato il suo elmetto o la sua spada a Bertoldo?	....
6 Bertoldo ha dato qualcosa a Garibaldi?	.... niente.
7 Il re ha detto a Garibaldi 'Sei un santo'?	.... eroe'.
8 Garibaldi ha risposto al re 'Lo so, altezza'?	.... 'Grazie, Maestà, ma i veri eroi ....

II *Brussels 3 a.m. A provisional wording has finally been agreed for the Community's snail-marketing legislation. An Italian is in the chair and has begun to propose toasts. Respond to them enthusiastically.*

Viva la Germania!	Viva la Germania e viva i tedeschi!
1 Viva l'Olanda!	.... gli olandesi!
2 Viva il Belgio!	.... belgi!
3 Viva l'Italia!	.... italiani!
4 Viva l'Inghilterra!	.... inglesi!
5 Viva la Danimarca!	.... danesi!
6 Viva la Francia!	.... francesi!
7 Viva l'Europa!	.... europei!

III *Answer the following questions honestly.*

Ti piace la musica di Verdi?	Non l'ho mai sentita. *(I've never heard any)* *or* Sì, mi piace (molto). *or* No, non mi piace (molto).
Ti piacciono i quadri di Botticelli?	Non li ho mai visti. *or* Sì, mi piacciono (molto). *or* No, non mi piacciono (molto).
1 Ti piacciono i film di Fellini?	....
2 Ti piace la musica di Luigi Nono?	....
3 Ti piacciono i quadri di Pablo Picasso?	....
4 Ti piacciono i quadri di Modigliani?	....
5 E la musica di Pergolesi?	....
6 Ti piacciono le sculture di Manzù?	....

IV *Express your feelings about the people and things listed below using each of the phrases in bold type at least once.*

mi piace	**non mi piace**
mi piacciono	**non mi piacciono**
mi piace molto	**mi dà fastidio**
mi piacciono molto	**mi danno fastidio**
amo *(I love)*	**detesto**
adoro *(I adore)*	**odio**

.... Bertoldo e Giulia ....
.... la presentatrice di questa serie ....
.... il Primo Ministro ....
.... il marito della regina ....
.... mia madre ....
.... gli americani ....
.... i russi ....
.... i francesi ....
.... i bambini piccoli ....
.... gli uomini con la pipa ....
.... le donne indipendenti ....
.... la disciplina ....
.... il mio lavoro ....
.... le prediche ....
.... le canzoni romantiche ....
.... il jazz ....
.... la musica classica ....
.... la pornografia ....
.... i giovani con i capelli lunghi ....

Now add a few names of people you love or loathe:

....
....
....
....
....
....

SYNOPSIS OF COMPREHENSION SCENES

Giulia, relieved now that she's postponed her legal separation, finds Silvia wounded and upset in her hotel room. Silvia refuses to explain how she has been hurt.

Claudia 'phones from Rome with the news that Francesca has been found dead in Mario's flat.

Giulia races back to Mario's flat in Rome. Mario is already there with Claudia and a police inspector.

17 MORE ABOUT THE PAST: *Description of people and events.*

LE AVVENTURE DI BERTOLDO BERTOLINI

Il Regista

B.B. in Milan station.

Narrator Bertoldo è ora a Milano per affari. Ha un appuntamento con un cliente . . .

B.B. in front of the cathedral.

. . . ma prima visita la città.

B.B. in front of Santa Maria delle Grazie. He enters. Inside a film is being shot. Fellini is directing.

B.B. *(To actress in costume)* Mi scusi, cosa fa tutta questa gente?

Actress Siamo qui per un film sulla vita di Leonardo da Vinci. Io sono Monna Lisa.

B.B. Chi è il regista?

Actress È il più grande regista del mondo: Fellini.

B.B. Ah, il famoso Fellini. *(With a sigh)* Quando ero giovane, volevo diventare regista anch'io.

B.B. dreams. He's in a chair marked 'Regista'. *The star, Marcello, approaches, dressed as Leonardo.*

B.B. Marcello, sei pronto?

Marcello Sì, sono pronto.

B.B. Un momento, l'orologio. *(Points to Marcello's wrist-watch)* Nessuno portava l'orologio al tempo di Leonardo. Silenzio! Azione! . . . Alt!

Marcello Cosa c'è?

B.B. La barba, imbecille! Leonardo aveva la barba lunga, non corta! Un'altra barba!

Make-up girl gives Marcello a longer beard.

Make-up girl Ecco, Signor Bertolini. Questa è la barba più lunga che abbiamo.

B.B. Va bene. Silenzio! Azione!

Marcello *(Acting)* 'Quando avevo vent'anni, speravo di diventare famoso . . .'

B.B. Alt! Basta!

Marcello Qualcosa non va?

B.B. *(Looking at script)* Devi dire: 'Volevo diventare famoso', non 'speravo'. Un'altra volta.

Marcello 'Quando avevo vent'anni, volevo diventare famoso . . .'

B.B. Alt! Non va bene. *(Ponders)* 'Quando ero giovane, speravo di diventare famoso . . . Quando ero giovane, volevo diventare famoso.' Speravo? . . . Volevo? . . .

B.B. goes on mulling over the text, then wakes with a start.

B.B. Il mio appuntamento! Sono in ritardo. *(Starts to leave)*

Fellini Un'altra volta.

Marcello 'Quando avevo vent'anni, speravo di diventare famoso . . . '

NESSUNO PORTAVA L'OROLOGIO AL TEMPO DI LEONARDO.

"QUANDO AVEVO VENT'ANNI SPERAVO DI DIVENTARE FAMOSO..."

SIAMO QUI PER UN FILM SULLA VITA DI LEONARDO DA VINCI. IO SONO MONNA LISA.

WORDS AND PHRASES

per affari	*on business*
cosa fa tutta questa gente?	*what are all these people doing?*
il più grande regista del mondo	*the greatest film director in the world*
quando ero giovane, volevo diventare regista anch'io	*when I was young, I too wanted to become a director*
nessuno portava l'orologio al tempo di Leonardo	*no one wore a watch in Leonardo's time*
questa è la barba più lunga che abbiamo	*this is the longest beard we've got*
quando avevo vent'anni . . .	*when I was twenty years old . . .*
. . . speravo di diventare famoso	*. . . I hoped to become famous*
qualcosa non va?	*is something wrong?*

TEACHING SCENE

Sandra reminisces.

I genitori di Antonio abitavano in una piccola villa, che si chiamava 'La Gioconda'. Era una villa bianca con le finestre azzurre. Allora era molto bella, ma oggi . . .

Antonio aveva dodici anni. Portava i pantaloni lunghi. I suoi amici portavano i pantaloni corti, ma lui . . . Era un demonio. Rompeva tutto. Gli piaceva rompere tutto. Era un vero demonio, ma era bello.

Aveva gli occhi verdi. Era biondo. Aveva una cicatrice, qui, sopra l'occhio. Spesso veniva a scuola e non parlava con nessuno. Stava in silenzio per ore.

Sapeva dove io lasciavo il cappotto. Nelle tasche trovavo fiori e piccoli animali.

La domenica Antonio andava a messa con i genitori. I genitori erano molto distinti. Il padre era medico, era il medico del paese. Ricordo che andava a visitare i malati con una vecchia macchina sportiva.

Io andavo a messa con mia madre. Mio padre era già morto. Durante la messa potevo vedere la testa bionda di Antonio. Tutti tenevano la testa bassa e mettevano il viso fra le mani. Anche Antonio teneva la testa bassa, ma apriva le mani così. E mi guardava.

WORDS AND PHRASES

allora era molto bella	*in those days it was very beautiful*
gli piaceva rompere tutto	*he liked to break everything*
aveva gli occhi verdi	*he had green eyes*
spesso veniva a scuola	*he often used to come to school*
non parlava con nessuno	*he didn't speak to anybody*
stava in silenzio per ore	*he stayed silent for hours*
nelle tasche trovavo fiori	*I used to find flowers in my pockets*
andavo a messa	*I went to mass*
tutti tenevano la testa bassa	*everyone kept their heads bowed*
mettevano il viso fra le mani	*they put their faces in their hands*

EXPLANATIONS

1 *Reminiscence: describing how things were and what used to happen*

(a) Talking about yourself

Quando	**ero** giovane **avevo** tredici anni	**leggevo** molti libri **speravo** di diventare famoso/a

When { *I was young* / *I was thirteen* — *I used to read lots of books.* / *I hoped to become famous.*

(b) Talking about other people and things

Ieri	**era** una brutta giornata **faceva** troppo caldo

. . . it was a nasty day.
. . . it was too hot.

Dino e Anna **venivano** spesso all'ospedale	*. . . often came to the hospital.*
Mi **portavano** fiori	*. . . used to bring flowers.*
Mi **leggevano** libri	*. . . used to read books.*
Erano i miei veri amici	*. . . were my real friends.*

This is known as the imperfect tense. It's used to describe:
past feelings
past states or conditions
repeated or continuous actions in the past

	essere	sperare	avere	venire
(io)	**ero**	**speravo**	**avevo**	**venivo**
(Lei; lui/lei)	**era**	**sperava**	**aveva**	**veniva**
(loro)	**erano**	**speravano**	**avevano**	**venivano**

2 *the greatest, the nicest, the best etc.*

il	**più**	**grande** regista del mondo
la	**più**	**bella** giornata della mia vita
i giorni	**più**	**caldi** dell'anno
le notti	**più**	**calde** dell'anno

i	**migliori** **peggiori**	vini d'Italia

the best . . .
the worst . . .

TALKING PRACTICE

I *Listen to the teaching scene on the record and read it through before answering.*

1 I genitori di Antonio abitavano in un appartamento o in una villa? ....
2 Si chiamava 'Villa Bianca' o 'La Gioconda'? ....
3 Antonio era un angelo o un demonio? ....
4 Sandra andava a messa con suo padre o con sua madre? ....
5 Durante la messa Antonio guardava Sandra o teneva gli occhi chiusi? ....

II *Use* **li** *in each of your replies.*

1 Antonio portava i pantaloni lunghi o corti? Li portava ....
2 E i suoi amici? ....
3 Aveva gli occhi azzurri o verdi? ....
4 E i capelli? ....

III *Try to remember what it was like to be fourteen.*

1 Quando avevi quattordici anni, volevi diventare ricco/ricca? Sì, *or* No, non } volevo ....
Sei diventato/a ricco/a? Sì, *or* No, non } sono ....
2 Quando avevi quattordici anni, volevi diventare famoso/a? ....
Sei diventato/a famoso/a? ....
3 Quando eri più giovane, speravi di cambiare il mondo? *(to change)* ....
Hai cambiato il mondo? ....
4 Quando avevi quattordici anni, ti piaceva lavorare? ....
Ti piace adesso? ....

IV Shakespeare guardava la televisione? No, nessuno guardava la televisione al tempo di Shakespeare.

1 Lucrezia Borgia portava la minigonna? No, nessuno ....
....
2 Giulio Cesare aveva la macchina? ....
....
3 Gesù Cristo viaggiava in aereo? ....
....

E l'Ascensione? Un miracolo.

SYNOPSIS OF COMPREHENSION SCENES

Giulia arrives at Claudia's with the news that Mario, suspected of murdering Francesca, is being held by the police.

Giulia asks her lawyer to stop the legal proceedings altogether.

Silvia tells Ugo that she's terrified.

HOW TO EXPRESS AN OPINION

LE AVVENTURE DI BERTOLDO BERTOLINI

La Bertolini-Super

B.B. is visiting the car museum.

Narrator È domenica. Bertoldo visita il Museo dell'Automobile.

He stops by a vintage Italian car and reads the description.

B.B. 'Questa è la macchina che ha vinto il Gran Premio di Monza nel 1930.'

B.B. dreams he's building a racing car in the thirties. He's assisted by Flavia.

Flavia Secondo te la macchina sarà pronta per il Gran Premio?

B.B. Penso di sì. Abbiamo ancora un giorno.

Flavia Dove va il motore? *(Looks at plans)* Secondo me va dietro.

B.B. Ma no, stupida, nella Bertolini-Super il motore va davanti.

Later, B.B. tows the Super off the track. Flavia waves good-bye.

Narrator Bertoldo va al circuito per provare la Bertolini-Super.

B.B. in the Super at the track. The track-official, Nuvolari, approaches.

Nuvolari Buongiorno. Questa è la Bertolini-Super?

B.B. Sì, signor Nuvolari. *(He revs engine)* Che ne pensa?

Nuvolari Bisogna controllare il carburatore e le candele. *(Gets in. Crashes the gears)* Il cambio non funziona bene. Bisogna controllare la frizione.

He drives off and does a lap of the track.

Narrator Nuvolari fa un giro.

Nuvolari returns.

B.B. Che ne pensa?

Nuvolari È un'ottima macchina, ma secondo me non è pronta. *(Gives B.B. a piece of paper)* Ecco l'elenco di quello che non va.

A rival German team overhears this.

Narrator Nel box tedesco.

Wolfgang Hai sentito, Fritz? Secondo Nuvolari la Bertolini-Super è un'ottima macchina.

Fritz Sì, Dummkopf, ma non è ancora pronta.

Wolfgang La vittoria è già nostra.

Later. B.B. back in his workshop.

Flavia Perchè sei tornato con la macchina?

B.B. Nuvolari l'ha provata, ma secondo lui non è ancora pronta. *(Gives her list of faults)*

Flavia Come facciamo? La corsa è domani.

B.B. Bisogna lavorare tutta la notte.

Flavia Tutta la notte?

B.B. Sì, tutta la notte e la vittoria sarà nostra.

He starts to dismantle the car.

Narrator Sarà pronta per la corsa la Bertolini-Super?

DOVE VA IL MOTORE? SECONDO ME, VA DIETRO.
HAI SENTITO, FRITZ? SECONDO NUVOLARI LA **BERTOLINI-SUPER** È UN'OTTIMA MACCHINA.
MA NO, STUPIDA, NELLA **BERTOLINI-SUPER** IL MOTORE VA DAVANTI.
BISOGNA LAVORARE TUTTA LA NOTTE.

WORDS AND PHRASES

questa è la macchina che ha vinto . . .	*this is the car that won . . .*
secondo te la macchina sarà pronta?	*in your opinion will the car be ready?*
penso di sì	*I think so*
secondo me va dietro	*in my opinion it goes at the back*
che ne pensa?	*what do you think of it?*
bisogna controllare la frizione	*you need to check the clutch*
Nuvolari fa un giro	*Nuvolari does a lap*
ecco l'elenco di quello che non va	*here's the list of what's wrong*
Nuvolari l'ha provata	*Nuvolari tested it*

TEACHING SCENE

The police inspector is questioning Claudia in his office.

Inspector Fuma?

Claudia No, grazie. Non fumo.

Inspector Dunque, il diciassette marzo la signora Crespi era con Lei. *(Claudia nods)* E naturalmente avete parlato di lui, di Mario Crespi.

Claudia Quel giorno Giulia è rimasta con me soltanto per pochi minuti.

Inspector Ma avete parlato di Mario e forse anche dell'amante di Mario, Francesca.

Claudia No.

Inspector No? Ma Giulia non ha segreti per Lei.

Claudia Giulia non ha segreti per me? Come posso saperlo?

Inspector Che rapporti ci sono fra Lei e Giulia Crespi?

Claudia Fra me e Giulia?

Inspector Sì, fra Lei e Giulia.

Claudia Amicizia.

Inspector E fra Lei e il marito di Giulia?

Claudia Amicizia.

Inspector Che cosa pensa di loro, di Giulia e Mario?

Claudia Sono i miei più cari amici.

Inspector E questa povera ragazza che è morta, brutalmente assassinata! Mario non ha mai parlato di lei? Con me può essere sincera.

Claudia Non sapevo nulla di Mario e quella . . .

Inspector Così Mario aveva segreti anche per Lei.

Claudia Per me?

Inspector Direi di sì. Ah, questo Crespi . . .

Claudia Siamo amici. Questo non significa che Mario deve parlare della sua vita privata a me! Secondo me Lei esagera, commissario.

A few minutes later. Giulia is waiting in the corridor outside the office. Claudia joins her.

Giulia Che cosa voleva?

Claudia Oh, ha chiesto di Mario, di te, di me, di Francesca . . . Secondo lui io dovrei sapere tutto. Capisci? Tutto!

Giulia Mi dispiace, Claudia. Per te tutto questo deve essere irritante. Per me è diverso: Mario è mio marito. Non può essere colpevole. Che cosa pensa il commissario?

Claudia Non saprei. Secondo me quell'uomo è un sadico.
Giulia Ha finito con te?
Claudia Spero di sì.
Sergeant *(Shouts)* La signora Crespi, per favore.

WORDS AND PHRASES

avete parlato di lui	*you spoke about him*
Giulia è rimasta soltano per pochi minuti	*Giulia stayed for only a few minutes*
Giulia non ha segreti per Lei	*Giulia hasn't any secrets from you*
come posso saperlo?	*how should I know?*
che rapporti ci sono fra . . .	*what is the relationship between . . .*
dovrei sapere tutto	*I ought to know everything*
non può essere colpevole	*he can't be guilty*
spero di sì	*I hope so*

EXPLANATIONS

1 *Asking someone's opinion*

Che ne	**pensi**, Anna **pensa**, dottore	?	*What do you think (about it) . . . ?*

Secondo te	Anna	possiamo arrivare in tempo	?
Secondo Lei	dottore		

Do you think (that) . . . ?

2 *Stating an opinion*

Penso **Direi** **Spero**	**di sì** **di no**	*I think* *I'd say* *I hope*	*so.* *not.*

Secondo me	potete arrivare in tempo avete molto tempo	*In my opinion . . .*

3 *Reporting other people's opinions*

Secondo	**lui** **lei** **loro**	è troppo tardi	*In* { *his* / *her* / *their* } *opinion . . .*

4 ***which, that, who***

La macchina La ragazza Quelle I bambini	**che**	ha vinto è morta preferisco conosco	*The car* ***which*** *won.* *The girl* ***who*** *is dead.* *The ones* ***(that)*** *I prefer.* *The children* ***(who)*** *I know.*

In English we often leave out 'which', 'that' and 'who'. In Italian **che** *must never be omitted.*

TALKING PRACTICE

I(a) *Listen to the teaching scene on the record and read the text before answering.*

Il diciassette marzo Claudia ha visto Mario? No, non l'ha visto.

1 Ha visto Giulia? ....
2 Hanno parlato di Mario? ....
3 Hanno parlato della sua amante, Francesca? ....
4 Claudia sapeva che Mario e Francesca erano amanti? ....
5 Conosceva Francesca? ....
6 Mario ha mai parlato con Claudia di Francesca? ....

I(b) **secondo lui secondo lei secondo loro**

1 Secondo Giulia e Claudia, Mario può essere colpevole? ....
2 Secondo il commissario, può essere colpevole? ....
3 Secondo il commissario, Mario ha segreti per Claudia? ....
4 Secondo Claudia, il commissario esagera? ....

I(c) *Answer* **Non saprei** *if you have no firm view,* **Secondo me . . .** *if you do.*

1 Chi ha assassinato Francesca, secondo te? ....
2 Secondo te, Claudia può essere colpevole? ....
3 Secondo te, Claudia sa chi è l'assassino? ....
4 Secondo te, Mario è innocente o colpevole? ....

II *Did you know . . . ?*

Lo sapevi o non lo sapevi? **Lo sapevo.** *or* **Non lo sapevo.**

1 Sapevi che l'Italia è più grande dell'Inghilterra? ....
2 Sapevi che c'è ancora il servizio militare in Italia? ....
3 Sapevi che la città del Vaticano è uno stato indipendente? *(state)* ....
4 Sapevi che San Marino è la repubblica più piccola del mondo? ....

III *Your car has struggled over the Alps with some difficulty so you've taken it into a garage for a check-up.*

i freni *the brakes*

Allora signore. Ecco l'elenco di quello che non va: l'olio è sporco. *(dirty)*	Bisogna cambiarlo?
1 Sì. Le gomme sono vecchie.	Bisogna..........?
2 Certo. La batteria è guasta.	..........?
3 Direi di sì. Due candele non funzionano.	..........?
Certo. Poi, il cambio funziona male.	Bisogna controllarlo?
4 Direi di sì. La frizione non funziona molto bene.	..........?
5 Credo di sì. Anche i freni funzionano male.	..........?
6 Certo. E c'è qualcosa che non va nel motore.	..........?
Penso di sì.	Se lascio la macchina oggi, sarà pronta per domani?
No, signore. Ci vuole una settimana al minimo.	

IV *You're in all your favourite gear with the record-player blaring when Alfonso drops by.*

Che bel disco!	Sì, mi piace.
1 Che ne pensa tua madre?	Non.......... piace.
2 E tuo padre?	Non..........
3 Sono carini questi sandali.	Sì, mi..........
4 Che ne pensa tuo padre?	Non..........
5 E tua madre?	Non..........
6 E il tuo vestito, Anna, è molto sexy. Complimenti!	Sì, ...
7 Tuo padre l'ha visto?	Sì, ma ....
8 E tua madre?	L'ha visto, ma ....
9 Tuo fratello che ne pensa?	Non..........
Che famiglia!	

SYNOPSIS OF COMPREHENSION SCENES

At the 'Primavera' offices Isa suggests Giulia should join her for a relaxing week-end at her seaside villa.

Giulia accepts and 'phones Silvia. As she and Silvia are now good friends and Silvia is obviously depressed, Giulia invites her to Isa's as well. Silvia accepts.

Silvia tells Ugo about the invitation. Ugo sees a chance to turn it to his advantage. With Silvia on the 'inside' it'll be easy to relieve Isa of her jewellery. He outlines his plan. Silvia hasn't the moral strength to object.

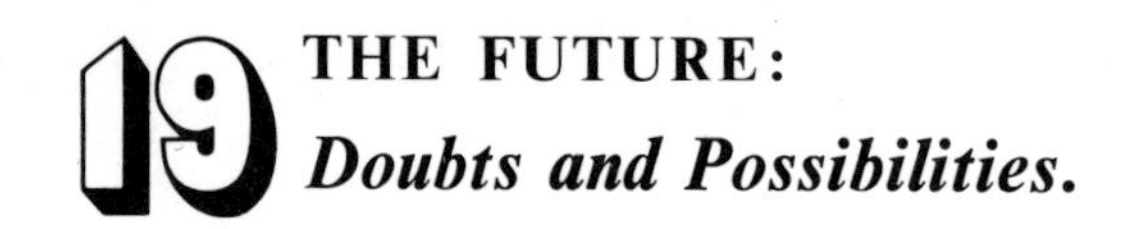

19 THE FUTURE: *Doubts and Possibilities.*

LE AVVENTURE DI BERTOLDO BERTOLINI

La Corsa

The day of the race. Great activity in the pits, but no sign of B.B. and the Bertolini-Super.

Narrator Dieci minuti prima della corsa, Bertoldo non è ancora arrivato.

At B.B.'s pit a mechanic is interviewed by a radio reporter.

Reporter Ma dov'è Bertolini?

Tito Non lo so.

Reporter Pensa che arriverà in tempo?

Tito Speriamo di sì.

B.B. and Flavia and the Super escorted by police on motorcycles.

Narrator Con l'aiuto della polizia, Bertoldo va verso il circuito a tutto gas.

Flavia Pensi che arriveremo in tempo?

B.B. Penso di sì.

Flavia Credi che tutto andrà bene?

B.B. Senz'altro. Sarò il primo, vedrai.

Flavia Se vinci cosa farai con il premio?

B.B. Vedrai. Sarà una sorpresa.

Meanwhile at the track the cars are on the starting grid.

Commentator Tutti i piloti sono pronti per la partenza, ma sembra che la corsa comincerà senza Bertolini. *(The cars rev up for the start. They're off! B.B. appears in the distance.)* Sono partiti! Ma cosa vedo? Sì! È la Bertolini-Super! *(B.B. hurtles after the others.)*

After several laps B.B. makes a pit-stop.

B.B. Presto ragazzi! Benzina! Olio! Gomme!

Flavia Bertoldo, sei al terzo posto. Fritz e Wolfgang sono in testa.

B.B. Se il motore resiste, finirò al primo posto.

He re-enters the race.

Commentator Ma cosa vedo? I due tedeschi sono ancora in testa, ma Bertolini è vicinissimo. Chissà se vincerà? Che corsa stupenda!

Wolfgang crashes into a tail-ender and blocks the track.

Commentator C'è stato un incidente! Cosa farà Bertolini?

B.B. brilliantly avoids the wreck.

Commentator È salvo! È salvo! Che pilota!

B.B. again in the pits.

Flavia Sei al secondo posto! Forza Bertoldo!

The race nears its end. The chequered flag is up. A car appears round the last bend.

Commentator È l'ultimo giro. Vedo una macchina. È una macchina nera? No! È verde! È la Bertolini-Super! Che corsa sensazionale!

B.B. in the Super flashes over the line to win. In the pits he is mobbed and Flavia kisses him.

Flavia Sei un vero campione.

All Bravo! Bravo! Bravo!

È L'ULTIMO GIRO. VEDO UNA MACCHINA. È UNA MACCHINA NERA? NO! È VERDE! È LA **BERTOLINI-SUPER!** CHE CORSA SENSAZIONALE!
CREDI CHE TUTTO ANDRÀ BENE?
SENZ'ALTRO. SARÒ IL PRIMO, VEDRAI.

PENSA CHE ARRIVERÀ IN TEMPO?
SPERIAMO DI SÌ.

SE IL MOTORE RESISTE, FINIRÒ AL PRIMO POSTO.

WORDS AND PHRASES

pensa che arriverà in tempo?	*do you think he'll arrive in time?*
credi che tutto andrà bene?	*do you think everything will go all right?*
vedrai	*you'll see*
sarà una sorpresa	*it'll be a surprise*
sembra che la corsa comincerà . . .	*it looks as though the race will start . . .*
al terzo posto	*in third place.*
in testa	*in the lead*
chissà se vincerà?	*will he win, or won't he?*
c'è stato un incidente	*there's been an accident*

TEACHING SCENE

Ugo and Silvia in their hotel in Naples.

Ugo Se Giulia e Isa partono da Roma alle tre, pensi che saranno alla villa per le cinque?

Silvia Penso di sì.

Ugo Perfetto. E se tu prendi il treno da Napoli alle quattro, arriverai a Formia alle sei.

Silvia Sì.

Ugo Quanti chilometri ci sono da Formia alla villa?

Silvia Una ventina.

Ugo Perfetto. Pensi che qualcuno verrà a prenderti alla stazione?

Silvia Se telefono, Giulia verrà a prendermi con la macchina.

Ugo Perfetto.

Silvia Ho un'idea: mentre Giulia viene a prendermi alla stazione, Isa resterà sola in casa e allora tu farai il colpo.

Ugo *(Sarcastically)* Ottima idea.

Silvia Ho paura che finirà male.

Ugo Storie! Vedrai che tutto andrà bene e presto saremo in Sud America.

Silvia Ma forse la polizia finirà per scoprire qualcosa.

Ugo E allora? Hai paura che mi . . . che ci prenderanno?

Silvia Se prendono solo te, cosa dirai?

Ugo Non dirò niente. Non parlerò di te.

Silvia Grazie.

Ugo Dirò che sei innocente.

Silvia Grazie.

Ugo Ma perchè hai paura? Se prendono anche te, diventerai famosa. I giornali parleranno di te. Chissà, forse farai anche un film. *(Silvia isn't listening)* Che cosa c'è?

Silvia Sarà terribile. Isa farà resistenza, chiamerà aiuto . . .

Ugo La villa è isolata. Nessuno sentirà.

WORDS AND PHRASES

pensi che saranno alla villa per le cinque?	*do you think they'll be at the villa by five o'clock?*
una ventina	*about twenty*
pensi che qualcuno verrà a prenderti . . . ?	*do you think someone will come to pick you up . . .?*
e allora tu farai il colpo	*and then you'll do the job*
ho paura che . . .	*I'm afraid that . . .*
non dirò niente	*I won't say a thing*
diventerai famosa	*you'll become famous*
chissà	*who knows*
Isa farà resistenza	*Isa will resist*
nessuno sentirà	*no one will hear*
. . . che ci prenderanno	*. . . that they'll catch us*

EXPLANATIONS

Talking about the future

1 ***Belief***

Pensa Crede	che	**arriverò** **arriverà** **arriveremo** **arriveranno**	in tempo	?	*. . . I'll / . . . he/she'll / . . . we'll / . . . they'll* } *arrive . . . ?*

2 ***Uncertainty and doubt***

Non so Chissà	come **finirà** quando **finiranno**	*. . . how it'll end.* *. . . when they'll finish.*
Forse **sarà** pronto domani		*. . . it'll be . . .*

3 ***Possibility***

Se	tuo padre viene i francesi arrivano	cosa	**farai** **farà** **faranno**

? . . . *what'll* { *you* / *he* / *they* } *do?*

Non	**farò** **farà** **faranno**	niente
	dirò **dirà** **diranno**	

I'll / *he'll* / *they'll* } { *do* / *say* } *nothing.*

4 *Remember that the Italian future is much less common than the English future.*

When shall we meet? Quando ci **vediamo**?
I'll go at once. **Vado** subito.

TALKING PRACTICE

I *You're a Bertoldo fan, interviewed at the Monza track, just before the race. Answer* **Spero di sì** *or* **Spero di no**.

1 Signore, pensa che Bertoldo arriverà in ritardo? ....
2 Pensa che il motore della Bertolini-Super resisterà? ....
3 Pensa che i tedeschi vinceranno? ....
4 Pensa che ci saranno incidenti? ....
5 Pensa che Bertoldo finirà al primo posto? ....
6 Allora pensa che un italiano vincerà il Gran Premio quest'anno? ....

II *You're another Bertoldo fan, talking to a pessimist.*

La macchina di Bertoldo non era pronta per la corsa, ieri. — Sarà pronta per la corsa oggi, vedrà.
1 Ma Bertoldo non è ancora arrivato. — ...., vedrà.
2 Ieri il carburatore non funzionava bene. — Oggi.................., ...
3 Ieri il cambio e la frizione non funzionavano bene. — ...., ...
4 Bertoldo non ha mai vinto una corsa. — Questa volta.................., ...
5 I tedeschi sono bravissimi. Hanno vinto l'anno scorso. *(last year)* — Quest'anno non ...., ...

III *You're on the line to Genoa discussing arrangements for an important family reunion.*

Allora, Zia Rosa viene da Palermo? *(Aunt Rose)*	Sì, prenderà l'aereo.
1 Tu vieni in macchina?	Sì, ... l'autostrada.
2 Anna e Silvio vengono da Bologna?	Sì,............ il treno.
3 Nonna abita in periferia. *(the suburbs)*	Sì,............ l'autobus.
Zia Rosa partirà presto?	Sì, arriverà a mezzogiorno.
4 Tu vai via di casa dopo pranzo?	Sì,............ verso le tre.
5 Anna e Silvia partiranno a mezzogiorno?	Esatto, e............ alle due e mezzo.
6 Noi partiremo alle undici.	Allora............ verso le due.
Bene. Il funerale è alle quattro, no?	Sì, ci vediamo in chiesa.

IV *Give very simple answers, e.g.* credo, spero di sì, spero di no, non saprei, non lo so, chi lo sa? etc.

1 Credi che ci sarà un'altra guerra mondiale?	....
2 Se c'è, sarà la fine del mondo?	....
3 Pensi che ci sarà una città sulla luna nel duemila?	....
4 Pensi che il mondo sarà tutto comunista fra vent'anni. *(in 20 years)*	....
5 Pensi che una donna diventerà Primo Ministro in Gran Bretagna fra vent'anni?	....
6 Pensi che il mondo sarà molto cambiato fra vent'anni?	....

V L'anniversario

ha dimenticato i nipoti	*he forgot the grandchildren*
Domani se Gino viene . . .	Non penso che verrà.
1 Allora se manda un telegramma	Non penso che ....
2 Allora se chiama	....
3 Allora se scrive	.... L'anno scorso ha dimenticato il nostro anniversario.
4 Allora se i nipoti arrivano	Non penso ....
5 O se mandano fiori	....
6 O se telefonano	............L'anno scorso anche loro l'hanno dimenticato.

SYNOPSIS OF COMPREHENSION SCENES

Mario is cleared of suspicion and released by the police.

He goes to see Claudia. They talk about Giulia and her visit to Isa's. Mario resolves to telephone her later in the evening.

20 FAVOURS:
Could you possibly . . . ?

LE AVVENTURE DI BERTOLDO BERTOLINI

Paradiso

B.B. in the boss's office.

Narrator Dal direttore.
B.B. Sa, tutto è così caro oggi. Il mio stipendio . . . pensavo . . . speravo . . .
Boss Che cosa sperava, Bertolini?
B.B. Non mi potrebbe dare un aumento?
Boss Glielo darei volentieri, ma non posso.
B.B. Non vorrei insistere, ma il costo della vita . . .
Boss *(Annoyed)* Glielo ripeto: è impossibile.

Later, B.B. meets Flavia, weighed down by catalogues, in the lift.

Narrator Nell'ascensore Bertoldo incontra Flavia.
Flavia Cosa c'è, Bertoldo? Sembri triste.
B.B. Sono andato dal direttore per chiedere un aumento, ma non me l'ha dato.
Flavia Mi potresti dare una mano?
B.B. Certo. A che piano vai?
Flavia All'ultimo. *(B.B. presses lift button)*

As the lift ascends B.B. dreams that he is speeding upwards on a cloud with Flavia. They arrive at the pearly gates and through them glimpse Paradise.

Flavia Che paradiso! Facciamo un giro?
B.B. Mi dispiace, non posso.

B.B. suddenly acquires a lurid commissionaire's uniform and a large golden key.

Narrator Bertoldo diventa il guardiano del Paradiso.

The door-bell rings. It's the boss, looking shabby.

B.B. Ah! Un cliente. Nome e cognome.
Boss Arcibaldo Granata. *(Pleading)* Le dispiacerebbe aprire la porta?
B.B. Un momento. *(Calls to angel)* Gabriella, ti dispiacerebbe portare il libro d'oro?
Gabriella Te lo porto subito.

The book is held up by Gabriella and two cherubs.

B.B. Dunque, vediamo . . . Granata . . . Arcibaldo . . . *(Reads)* 'Carattere: arrogante, egoista e avaro. Rifiuta sempre aumenti di stipendio. Destinazione: Inferno'.
Boss *(Producing bribe)* Accetterebbe un piccolo regalo?
B.B. Via di qua! All'Inferno!
Boss Potrei avere una lettera di raccomandazione per Lucifero?
B.B. È impossibile.

The dream ends. The lift stops. Flavia can't open the doors.

Flavia Bertoldo, ti dispiacerebbe aprire la porta? Non ci riesco da sola.

GABRIELLA, TI DISPIACEREBBE PORTARE IL LIBRO D'ORO?
NON MI POTREBBE DARE UN AUMENTO?
GLIELO DAREI VOLENTIERI, MA NON POSSO.
TE LO PORTO SUBITO.
ACCETTEREBBE UN PICCOLO REGALO?

WORDS AND PHRASES

dal direttore	*in the director's office*
non mi potrebbe dare un aumento?	*couldn't you give me a rise?*
glielo darei volentieri	*I'd give it to you willingly*
sembri triste	*you look sad*
facciamo un giro?	*shall we walk around?*
Le dispiacerebbe aprire la porta?	*would you mind opening the door?*
te lo porto subito	*I'll bring it to you at once*
una lettera di raccomandazione	*a letter of recommendation*
non ci riesco da sola	*I can't manage on my own*

TEACHING SCENE

Mario is trying to telephone Giulia who is at Isa's villa. He's having trouble and has rung Directory Enquiries.

Mario Devo parlare urgentemente con mia moglie, ma il numero non risponde. Potrebbe controllare se il numero è giusto?
Girl Che città vuole, signore?
Mario Formia.
Girl Il nome della persona?
Mario Trivelli, Isa Trivelli.
Girl Mi saprebbe dire anche l'indirizzo?
Mario Sì, un momento . . .

Meanwhile Silvia is in a bar.

Silvia Mi saprebbe dire l'ora, per favore?
Waiter Me l'ha già chiesta due volte, signorina.
Silvia Scusi.
Waiter Sono le otto meno dieci.
Silvia Grazie.
Waiter *(Picking up full cup of cold coffee)* Ha finito?
Silvia Sì, ne vorrei un altro, per favore.
Waiter Glielo porto subito.

Mario is still talking to Directory Enquiries.

Girl Il numero è giusto, signore.
Mario Strano. Non capisco. Me lo potrebbe chiamare, per piacere?
Girl Do solo informazioni, signore. Dovrebbe chiamare l'interurbana.
Mario È molto urgente, signorina. Mi farebbe veramente una cortesia . . .
Girl Ma signor Trivelli . . .
Mario *(Annoyed)* Non sono il signor Trivelli. Sono il signor Crespi e, ripeto, mi farebbe una cortesia se . . .
Girl Le dispiacerebbe abbassare la voce? Allora Lei è il signor Crespi.
Mario Esatto.
Girl E vorrebbe chiamare Sua moglie, la signora Crespi.
Mario Esatto.
Girl Un momento. Le passo l'interurbana.

Silvia now on the telephone.

Silvia Pronto! Pronto! *(To waiter)* Questo telefono non funziona?
Waiter Ma certo che funziona.
Silvia Per favore, mi farebbe la cortesia di chiamare questo numero? La prego.
Waiter Va bene. Vengo subito.

Back to Mario.

Girl Signor Crespi? Mi dispiace, ma l'interurbana non risponde.
Mario Ma come mai?
Girl C'è un guasto, signore.
Mario bangs down his 'phone in anger. As he turns away the 'phone rings. It's Claudia.
Mario Pronto.
Claudia Mario? Finalmente! Il tuo telefono è sempre occupato.
Mario Ho cercato di telefonare a Giulia, ma il telefono è guasto.
Claudia Guasto?
Mario Sì, guasto.
Claudia Forse Giulia ti chiamerà.
Mario Claudia, perchè non vieni da me?
Claudia Non posso. Ho da fare.
Mario E più tardi?
Claudia No, Mario, non posso. Te l'ho detto.

WORDS AND PHRASES

potrebbe controllare se il numero è giusto? — *could you check whether the number is correct?*
mi saprebbe dire l'ora? — *could you tell me the time?*
me l'ha già chiesta due volte — *you've already asked me for it twice*
dovrebbe chiamare l'interurbana — *you ought to call the trunk calls operator*
mi farebbe una cortesia — *you'd be doing me a favour*
La prego — *please (I beg of you)*
ho cercato di telefonare — *I tried to 'phone*
perchè non vieni da me? — *why don't you come over to my place?*
ho da fare — *I've got things to do*

EXPLANATIONS

1 ***How to ask a favour***

Mi	**accompagneresti** alla stazione **faresti** una cortesia	Aldo	?
	accompagnerebbe alla stazione **farebbe** una cortesia	signore	

Could you go with me to the station . . . ?
Would you do me a favour . . . ?

2 ***'Would you mind . . . ?'***

Ti	**dispiacerebbe**	abbassare la voce	Isa	?
Le		parlare più piano	signora	

3 ***'Could you . . . ?' 'I could . . . '***

Potresti	venire adesso	Fred	?
Potrebbe		signorina	

Forse **potrei** venire più tardi.

4 ***. . . it to me . . . it to you . . .***

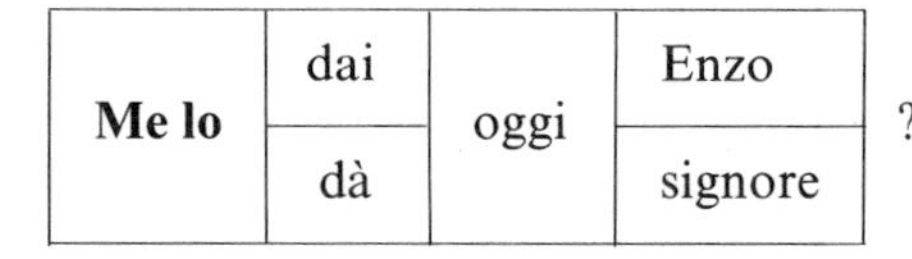

Me lo	dai	oggi	Enzo	?
	dà		signore	

Te lo	do domani
Glielo	

Will you give it to me today? *I'll give it to you tomorrow.*

5 ***. . . it to him . . . it to her***

Hai dato il libro a	Franco	?
	Silvia	

No, **glielo** do domani

I'll give it { *to him . . .* / *to her . . .* }

Talking about a **la** *word you would say* **me la, te la** *and* **gliela**

Una birra, signore? **Gliela** porto subito.

6

Ho	molto	da fare	*. . . a lot to do.*
C'è		da vedere	*. . . a lot to see.*

TALKING PRACTICE

I *Listen to the cartoon story and read the text before answering these questions.*

glielo dice *he says it to him*

Bertoldo dice al direttore: 'Lei è arrogante'? Lo pensa, ma non glielo dice.

1 Gli dice: 'Lei è un egoista'? ....
2 Gli dice: 'Vorrei mandarLa all'inferno'? ....
3 Gli dice: 'Ma Lei rifiuta sempre gli aumenti di stipendio'? ....

Esatto. Lo pensa e poi nei sogni glielo dice.

II *Listen to the teaching scene and read the text before answering these questions.*

glielo *it to him it to her*

Mario dice alla telefonista che città vuole?	Sì, glielo dice.
1 La telefonista gli dice: 'Che lavoro fai'?	....
2 Il cameriere porta un altro caffè a Silvia?	....
3 Le dice che non ha l'orologio?	....
4 Mario dice a Claudia: 'Vieni da me'?	....
5 Claudia gli dice: 'Va bene, amore, vengo subito'?	....

III *Alfonso is on the 'phone trying to date you. Instead of telling him to take a running jump you fall back on the polite, if weak excuse:* **Non posso. Ho da fare.**

1 Carissima, perchè non vieni da me stasera?	....
2 Ci vediamo domani mattina allora?	....
3 Dopo pranzo?	....
4 C'incontriamo domani sera se vuoi?	....
Hai veramente da fare o non vuoi più vedermi?	Te l'ho detto. Ho da fare.

IV *Dottor Granata . . . 6 You . . . 0*

Oggi sono andato dal dottor Granata per chiedere un aumento.	Te l'ha dato?
1 No. Gli ho chiesto il motivo del suo rifiuto.	.... detto?
2 No. Poi ho chiesto un trasferimento. *(a transfer)*	.... dato?
3 No. Gli ho chiesto il motivo del suo rifiuto.	....
4 No. Alla fine gli ho chiesto di farmi un piccolo favore.	.... fatto?
5 No. Gli ho chiesto di dirmi perchè.	....
No. Ha detto: 'Basta adesso. Ho da fare.'	

V *Directory Enquiries* (elenco abbonati)

	You:
	Pronto, elenco abbonati? Vorrei sapere il numero di una ditta di Pisa che vende vestiti.
The telephonist:	
Mi saprebbe dire il nome della ditta?	No, non glielo so dire.
1 Mi saprebbe dire l'indirizzo?	....
2 Mi saprebbe dire il nome della strada?	....
3 Mi saprebbe dire il nome del proprietario?	....
Non mi saprebbe dire qualche altro particolare?	Beh, sì. È una ditta che vende biancheria intima.
Sarà sicuramente 'Fratelli Granata'.	

SYNOPSIS OF COMPREHENSION SCENES

Silvia betrays Ugo: she rings the police.

That afternoon, Ugo breaks into Isa's villa, but his attempted robbery is thwarted by the arrival of the police.

21 REVISION

LE AVVENTURE DI BERTOLDO BERTOLINI

L'Opera – Parte Prima

B.B. and his mother in front of the Milan opera-house, La Scala, *where* Aida *is on.*

Narrator Milano. Davanti alla Scala.
B.B. Mamma, ti piacerebbe andare all'opera stasera? Danno l'Aida.
Mother Sarebbe bello. Pensi che ci sarà posto?
B.B. Penso di sì.
At the ticket office.
B.B. *(Looking at the seating plan)* Preferisci la platea o la galleria?
Mother Preferisco la platea.
B.B. *(To girl in box-office)* Due biglietti di platea, per favore. A che ora comincia lo spettacolo?
Girl Alle nove.
B.B. *(Sees sign for Museum)* Mamma, ti piacerebbe visitare il Museo della Scala?
Mother Sì, sarebbe bello. Che ore sono?
B.B. Sono solo le sei. Abbiamo tempo.
In the Museum, which is full of pictures and statues of musicians.
B.B. Chi è questo tipo con la barba?
Mother È Giuseppe Verdi. Ha scritto l'Aida!
B.B. E questo?
Mother È Arturo Toscanini: il più grande direttore del secolo.
B.B. and his mother in the opera-house.
Narrator Poco prima dell'inizio dell'opera.
The manager makes an announcement.
Manager Signore e signori, purtroppo ci sarà qualche minuto di ritardo.
B.B. *(Thinks)* Ma che barba!

B.B. dreams that he's in the opera-house with Flavia. The great Toscanini approaches him and whispers.
Toscanini Bertoldo, mi potresti aiutare?
B.B. Cosa c'è Arturo? Sembri preoccupato.
Toscanini Ti dispiacerebbe cantare la parte principale? Il tenore è malato.
B.B. Se proprio insisti, caro Arturo, lo farò.
Toscanini Grazie. Grazie mille. Sei un vero amico.
B.B. gets up.
Flavia Ma Bertoldo, mi lasci sola?
B.B. Sì, cara, ti devo lasciare, ma canterò solo per te.
As B.B. enters the dressing-room a knife just misses him. It has a message tied to the handle.
B.B. *(Reads)* 'Se canti, sei morto'.
Narrator Bertoldo è in pericolo. Cosa farà?

MAMMA, TI PIACEREBBE ANDARE ALL' OPERA STASERA? DANNO L'AIDA.

BERTOLDO È IN PERICOLO. COSA FARÀ?
"SE CANTI, SEI MORTO."

TI DISPIACEREBBE CANTARE LA PARTE PRINCIPALE?
SE PROPRIO INSISTI, CARO ARTURO, LO FARÒ.

WORDS AND PHRASES

danno l'Aida	*they're putting on 'Aida'*
sarebbe bello	*that'd be lovely*
pensi che ci sarà posto?	*do you think there'll be room?*
due biglietti di platea	*two tickets for the stalls*
a che ora comincia lo spettacolo?	*when does the show start?*
purtroppo ci sarà qualche minuto di ritardo	*unfortunately there'll be a few minutes delay*
sembri preoccupato	*you seem worried*
se proprio insisti	*if you really insist*

TALKING PRACTICE

I *Working in a tourist office has whetted Signor Amati's appetite for travel. Encourage him in his daydreams.*

Sarebbe bello andare in America.	Un giorno ci andrà, ne sono sicuro/a.
E vedere una città enorme come New York.	Un giorno la vedrà ne sono sicuro/a.
1 Sarebbe bello andare in Egitto. *(Egypt)*	Un giorno .... ne sono sicuro/a.
2 E vedere le Piramidi.	Un giorno ....
	....
3 Sarebbe bello andare in Africa.	....
	....
4 E fare un safari.	....
	....
5 E vedere i leoni e gli elefanti.	....
	....
6 Non credo che avrò mai i soldi per tutto questo.	Un giorno ...., ne sono sicuro/a.

II *You're an old-fashioned Freudian psychoanalyst, and your patient has old-fashioned Freudian dreams. When she stops talking encourage her to go on by asking:*

Cosa . . . ? Chi . . . ? Dove . . . ? *as appropriate*

Ieri notte ho sognato una cosa pazza. — Cosa ha sognato?

1 Ho incontrato qualcuno. — Chi..........incontrato?

2 Un uomo con due teste. Sono andata con lui molto lontano . . . — ....andata?

3 In America. Lì è successo qualcosa . . . — ....?

4 Ho visto qualcuno . . . — ....?

5 Il mio professore di scuola. L'uomo con due teste è diventato geloso. *(jealous)* Ha fatto una cosa orribile. — ....?

6 È andato via, ma con una testa sola. — ....ha messo l'altra testa?

7 Ha messo l'altra testa nella mia borsetta. Io poi, veramente non so perchè, ho fatto qualcosa . . . — ....?

8 Ho aperto la borsetta. E la testa non era quella di prima. Era un uomo diverso . . . — ....?

Era Lei, dottore, ma senza occhiali, *(spectacles)* e più giovane. — Bene, signora. Adesso sono le undici. Dobbiamo parlare di questo sogno la prossima volta.

Grazie, dottore. Ecco il Suo assegno. *(cheque)*

SYNOPSIS OF COMPREHENSION SCENES

Claudia tells Mario he should go to meet Giulia, as requested, at Tina's.

Whilst driving to Tina's house outside Rome Giulia stops by the roadside and talks to a Sicilian family who are travelling to Milan to find work.

Tina and Renzo wonder whether Mario will arrive.

GRAMMAR SUMMARY: PROGRAMMES 16–21

1 *Four irregular verbs with a similar pattern*

	dare	**stare**	**avere**	**sapere**
(io)	do	sto	ho	so
(tu)	dai	stai	hai	sai
(Lei; lui/lei)	dà	sta	ha	sa
(noi)	diamo	stiamo	abbiamo	sappiamo
(voi)	date	state	avete	sapete
(loro)	danno	stanno	hanno	sanno
Recent past:	ho dato	sono stato	ho avuto	ho saputo

2 *Another common irregular verb*

	venire
(io)	vengo
(tu)	vieni
(Lei; lui/lei)	viene
(noi)	veniamo
(voi)	venite
(loro)	vengono

3 *The imperfect patterns*

	-are *verbs*	**-ere** *verbs*	**-ire** *verbs*
	sperare	**avere**	**venire**
(io)	speravo	avevo	venivo
(tu)	speravi	avevi	venivi
(Lei; lui/lei)	sperava	aveva	veniva
(noi)	speravamo	avevamo	venivamo
(voi)	speravate	avevate	venivate
(loro)	spe**ra**vano	a**ve**vano	ve**ni**vano

4 *Key irregular verbs*

essere	**fare**	**dire**
ero	facevo	dicevo
eri	facevi	dicevi
era	faceva	diceva
eravamo	facevamo	dicevamo
eravate	facevate	dicevate
erano	fa**ce**vano	di**ce**vano

5 *The future*

-are *verbs*	**-ere** *verbs*	**-ire** *verbs*
arrivare	**prendere**	**finire**
arriverò	prenderò	finirò
arriverai	prenderai	finirai
arriverà	prenderà	finirà
arriveremo	prenderemo	finiremo
arriverete	prenderete	finirete
arriveranno	prenderanno	finiranno

irregular forms

(essere)	sarò	(andare)	andrò
(avere)	avrò	(dire)	dirò
(vedere)	vedrò	(venire)	verrò
(fare)	farò		

the endings are, however, completely regular: –ò –ai –à –emo –ete –anno

6 ***The conditional***

–are *verbs*	**–ere** *verbs*	**–ire** *verbs*
comprare	**prendere**	**capire**
comprerei	prenderei	capirei
compreresti	prenderesti	capiresti
comprerebbe	prenderebbe	capirebbe
compreremmo	prenderemmo	capiremmo
comprereste	prendereste	capireste
compre**reb**bero	prende**reb**bero	capi**reb**bero

irregular forms

sarei	*I'd be*	dovrei	*I ought to*
avrei	*I'd have*	saprei	*I'd know*
potrei	*I could*	andrei	*I'd go*
vorrei	*I'd like*	verrei	*I'd come*

the endings are, however, regular: –ei –esti –ebbe –emmo –este –**eb**bero

7 ***Personal pronouns***

anche	io tu Lei lui lei noi voi loro

secondo	me te Lei lui lei noi voi loro

Anna	mi ti La lo la ci vi li/le	vede spesso

il capo	mi ti Le gli le ci vi gli	dà poco

22 HEALTH:
How to say how you're feeling.

LE AVVENTURE DI BERTOLDO BERTOLINI

L'Opera – Parte Seconda

B.B. in his dressing-room at La Scala, *Milan. Toscanini is studying the threatening message.*

Toscanini Allora, Bertoldo, cosa farai?
B.B. Non ho paura. Canterò.
Toscanini Come ti senti?
B.B. Mi sento benissimo.
Toscanini E la voce?
B.B. lets out a prolonged top C and shatters a couple of glasses.
Toscanini Sei veramente in forma.
The manager enters.
Manager Maestro, maestro. La signorina Pasta non si sente bene.
Toscanini Queste prime donne! Che cos'ha?
Manager Ha mal di gola e ha la febbre.
B.B. È l'emozione di cantare con me.
Slow handclapping breaks out in the auditorium. A call-boy enters.
Call-boy Maestro! Maestro!
Toscanini Il pubblico si annoia?
Call-boy Sì, maestro, comincia a annoiarsi.
Toscanini Che disastro!
Finally the opera gets under way.
Narrator Ma finalmente lo spettacolo comincia.
In a box two dowagers.
Violetta Che grande tenore!
Leonora Che bella coppia!
In a darkened box Boris and Olga. Boris has a gun with a silencer.
Olga Sei morto, Bertolini!
As B.B. reaches a head-note in the final scene Boris fires. The bullet grazes B.B.'s cheek.
Boris Maledizione! Non l'ho preso!
Olga Imbecille!
Unperturbed, B.B. sings on.
Narrator Ma Bertoldo non si spaventa.
B.B. *(Thinks)* Dilettanti!
Afterwards in B.B.'s dressing-room.
Toscanini Caro Bertoldo, sei stato stupendo!
B.B. Lo so, Arturo. Anche la signorina Pasta è stata brava.
Toscanini Complimenti, signorina. Come sta ora?
Signorina Pasta Sto molto meglio, maestro. Cantare con il grande Bertolini è stata un'esperienza indimenticabile.
Toscanini Questa sera invito tutti a casa mia per una grande festa.
Outside La Scala. *An enthusiastic crowd. B.B. and Flavia about to leave in the Rolls-Royce. An autograph book is passed to him.*
B.B. *(Reading aloud)* 'Hai cantato per l'ultima volta.'
Ridicolo! *(To driver)* Avanti, Smithers.

BERTOLDO NON SI SPAVENTA.
MALEDIZIONE! NON L'HO PRESO!
DILETTANTI!
IMBECILLE!
COME TI SENTI?
MI SENTO BENISSIMO.
COME STA ORA?
STO MOLTO MEGLIO, MAESTRO. CANTARE CON IL GRANDE BERTOLINI È STATA UN'ESPERIENZA INDIMENTICABILE.

WORDS AND PHRASES

non ho paura	*I'm not afraid*
come ti senti?	*how do you feel?*
ha mal di gola	*she's got a sore throat*
ha la febbre	*she's got a temperature*
l'emozione di cantare con me	*the excitement of singing with me*
il pubblico si annoia?	*is the public getting bored?*
non l'ho preso	*I've missed him*
Bertoldo non si spaventa	*Bertoldo isn't afraid*
sei stato stupendo	*you were terrific*

TEACHING SCENE

At Isa's villa. Isa is comforting Silvia.

Isa *(Handing Silvia a cup of coffee)* Prendi, bevi questo.

Silvia Che cos'è?

Isa Caffè.

Silvia E Giulia, come sta?

Isa Sta bene. *(Drinking)* E tu? Come ti senti ora? *(Silvia sobs)* Povera Silvia.

Silvia Mi sento così colpevole.

Isa È tutto finito ora. Avanti, il caffè diventa freddo.

Silvia Ho cercato di telefonare . . .

Isa Sì, sì, lo so. Un po' di cognac?

Silvia *(With an effort)* No, sto già meglio, grazie.

Isa Ma perchè non bevi?

Silvia Mi sento così nervosa. Giulia non mi perdonerà mai.

Isa Ma sì, cara, Giulia ti perdonerà e io ti devo anche ringraziare. 'Primavera' venderà un milione di copie questa settimana.

Silvia Qui è così tranquillo.

Isa Troppo tranquillo. I miei amici si annoiano qui. Dopo un giorno o due vanno via. Un momento, cara, devo andare in cucina a vedere l'arrosto.

Isa goes into the next room where the police inspector is sitting.

Inspector Allora, come si sente la ragazza?

Isa *(Tragically)* Malissimo. *(The inspector makes as if to go into the next room. Isa stops him.)* Commissario, è proprio necessario interrogarla adesso? Silvia sta male.

Inspector Cara signora, sono qui per interrogarla.

Isa Vuole un po' di cognac?

Inspector Ma, veramente . . .

Isa Perchè non rimane a pranzo da me? Caro commissario, tutto è finito. Perchè si preoccupa così tanto?

Inspector Non mi preoccupo affatto, ma . . .

Later Isa is preparing lunch in the kitchen. Silvia enters.

Silvia Oh, la mia testa.

Isa Hai ancora mal di testa? Dopo un buon pranzo ti sentirai meglio. Tieni: piatti, forchette, bicchieri.

Isa hands Silvia three glasses.

Silvia Tre bicchieri?

Isa Sì, abbiamo un ospite.

WORDS AND PHRASES

mi sento così colpevole	*I feel so guilty*
Giulia non mi perdonerà mai	*Giulia will never forgive me*
io ti devo anche ringraziare	*I should even thank you*
perchè si preoccupa così tanto?	*why be so worried?*
Silvia sta male	*Silvia's not well*
perchè non rimane a pranzo da me?	*why don't you stay for lunch?*

EXPLANATIONS

Talking about how you feel

1 ***How do you feel?***

Come	**ti senti**, Silvia	?
	si sente, signorina	

Mi sento *(I feel)*	male	*... bad*
	un po' meglio	*... a little better*
	bene	*... fine*

2 ***Asking how other people feel***

Come	**si sente**	il bambino la bambina	?
	si sentono	gli altri	

How does the child feel?
How do the others feel?

Si sente	malissimo
Si sentono	benissimo

He/she feels } *terrible.*
They feel } *wonderful.*

3 ***Common ailments***

I've got . . .	**ho**	**mal di**	denti	*toothache*
you've got . . .	**hai**		testa	*a headache*
you/he/she's got . . .	**ha**		stomaco	*stomach ache*
they've got . . .	**hanno**		gola	*a sore throat*
		il raffreddore		*a cold*
		la febbre		*a temperature*

4 ***Other feelings and emotions***

Mi	diverto annoio preoccupo	*I'm*
Si	diverte annoia preoccupa	*You're/he's/she's*

having fun.
bored.
worried.

Comincia Cominciano	a	divertirsi annoiarsi preoccuparsi	*You're* *He's/she's* *They're*	*beginning to*	*have fun.* *get bored.* *get worried.*

TALKING PRACTICE

I *Listen to the cartoon story and read the text. In answering the questions use expressions like:* **si sente male** **si diverte** **si annoia**

Bertoldo si sente male prima dello spettacolo? No, non si sente male.

1 E la signorina Pasta? Sì, si ....
2 Quando lo spettacolo comincia in ritardo, il pubblico si diverte o si annoia? ....
3 Durante lo spettacolo Leonora e Violetta si annoiano o si divertono? ....
4 Dopo lo spettacolo la signorina Pasta si sente peggio? *(worse)* ....
5 Bertoldo si spaventa quando legge il messaggio nella macchina? ....

II *The Grand Hotel bar. A tout for the adjacent casino takes you and your friends in tow.*

Si annoia qui, signorina? Comincio a annoiarmi.
1 Anche il Suo amico si annoia? Comincia a..........
2 Le Sue amiche si annoiano? Cominciano ....
Perchè non andiamo tutti al Casinò? Che buon'idea. Giochiamo alla roulette.

(Mezz'ora dopo nel Casinò)
Si diverte adesso, signorina? Sì, comincio a divertirmi.
3 Il Suo amico si diverte? Sì, ...
4 Le Sue amiche si divertono? ....
(Un'ora dopo)
Sembra preoccupata, signorina. Comincio a preoccuparmi.
5 Anche il Suo amico sembra preoccupato. ....
6 Le Sue amiche sembrano preoccupate. ....
Avete perso molto? Qualche milione.

III *Hypochondriacs Anonymous.*

	Dov'è Aldo?	Si sente male.
1	E Carla?	Anche lei ....
2	Dove sono Bruno e Anna?	Anche ....
3	E Fabrizio?	....
	Forse è stato il vino.	Non è stato il vino. Aldo ha mal di gola.
4	E Carla?	Anche ....
5	Bruno e Anna?	Anche ....
6	E Fabrizio?	....
	È naturale. Fumano troppe sigarette.	Macchè sigarette! Aldo ha la febbre alta.
7	E Carla?	Anche..
8	Bruno e Anna?	....
9	E Fabrizio?	....
	Mamma mia, comincio a sentirmi male anch'io.	

SYNOPSIS OF COMPREHENSION SCENES

At Tina's a family reunion is in progress: Tina, Giulia, Renzo. Mario arrives.

Renzo tries to persuade Mario to go back to Giulia. He is curious about Mario's relationship with Claudia.

Mario and Giulia try to reach an agreement.

He tells her he isn't ready to start married life again, and that he wants to go back to the monastery.

23 NARRATIVE: *How to say what you are, or were, in the process of doing.*

LE AVVENTURE DI BERTOLDO BERTOLINI

L'Opera – Parte Terza

B.B. and Flavia in the crowded drawing-room of Toscanini's villa.

Narrator Da Toscanini.
B.B. Salve, Arturo. Che stai facendo?
Toscanini Sto preparando un nuovo cocktail.
B.B. Posso assaggiarlo? *(He drinks)* Accidenti! Com'è forte!
Toscanini Ti voglio presentare a Giuseppe Verdi. Sta ancora cercando un tenore per la sua nuova opera. Credo che la parte ti piacerebbe.
B.B. Qual'è Verdi?
Toscanini Eccolo: è quello che sta parlando con la signorina Pasta. Si annoia.
B.B. and Toscanini join Verdi and signorina Pasta.
Verdi Caro Arturo. Stavamo parlando proprio di te.
Toscanini Giuseppe, ti presento il tenore Bertolini.
Verdi *(To B.B.)* Il tenore Bertolini? L'ho sentito stasera alla Scala. Che voce!
B.B. Che grande opera!
Signorina Pasta Cosa sta scrivendo adesso, maestro Verdi?
Verdi Sto scrivendo una nuova opera: Il Rigoletto. Niente d'importante.
A loud explosion is heard. Rossini emerges from the kitchen, dishevelled and singed.
B.B. Cos'è successo?
Toscanini Niente di grave. È Rossini che sta preparando una nuova ricetta.
Outside the bay windows Boris is trying to cut off the electricity whilst Olga keeps watch.
Narrator Fuori, nel buio.
Boris Adesso cosa sta facendo?
Olga Sta ancora parlando con Verdi . . . Adesso stanno andando verso il pianoforte . . . Bertolini sta per cantare. Presto, presto.
B.B. now at the piano about to sing. Boris cuts the electric wires. Darkness. Vague panic. Then . . .
All *(Jovially)* Luce . . . luce . . . luce . . . lu-ce . . .
In the darkness the ghost of Mussolini appears.
Mussolini Mi avete chiamato?
Toscanini Abbiamo detto 'luce' non 'duce', Duce.
Mussolini fades. The lights come on again. B.B. and Flavia have disappeared.
Toscanini Ma dove sono Bertoldo e Flavia?
Outside in the moonlight B.B. and Flavia are being carried off by Boris and Olga in a horse-drawn carriage.
B.B. and Flavia Aiuto! Aiuto!

ADESSO COSA STA FACENDO?
MI AVETE CHIAMATO?
STA ANCORA PARLANDO CON VERDI.... ADESSO STANNO ANDANDO VERSO IL PIANOFORTE....

TI VOGLIO PRESENTARE A GIUSEPPE VERDI. STA ANCORA CERCANDO UN TENORE PER LA SUA NUOVA OPERA.

È ROSSINI CHE STA PREPARANDO UNA NUOVA RICETTA.

WORDS AND PHRASES

che stai facendo?	*what are you doing?*
com'è forte!	*it's strong!*
sta ancora cercando un tenore	*he's still looking for a tenor*
è quello che sta parlando . . .	*he's the one who's talking . . .*
stavamo parlando proprio di te	*we were just talking about you*
stanno andando verso . . .	*they're going towards . . .*
Bertolini sta per cantare	*Bertolini's about to sing*
mi avete chiamato?	*you called me?*

TEACHING SCENE

Isa is telling two journalists, Laura and Massimo, about the attempted robbery.

Isa Dunque, ero in cucina e stavo facendo il minestrone, la mia ricetta preferita: carote, cipolle . . .

Laura Ma i passi, il rumore dei passi.

Isa Un momento. Stavo preparando le cipolle, quando ho sentito uno strano rumore in giardino.

Laura Un rumore di passi?

Isa Non so, l'acqua nella pentola bolliva, e . . .

Laura Allora che cos'ha fatto?

Isa Ho messo le verdure nella pentola.

Massimo *(Angrily)* Noi vogliamo i fatti, non una ricetta di cucina!

Isa Sto parlando con la signorina!

Laura *(To Massimo)* Sì, la signora sta rispondendo alle mie domande.

Massimo Signora, i fatti, vuole dirci i fatti? *(Takes a photograph of Isa.)*

Isa Ma è quello che sto facendo! E Lei con quella macchina fotografica esagera!

Laura Signora Trivelli, torniamo alla mia domanda.

Isa Sì, dunque, che cosa stavo dicendo? . . . Ah, quando ho sentito questo strano rumore ho pensato: 'Forse è Giulia in giardino'. Ma non era Giulia . . .

Massimo Cosa stava facendo la Sua amica in quel momento?

Isa Giulia era nel soggiorno. Stava leggendo 'Primavera'.

Massimo *(Furious)* Basta, signora. Lei fa la reclame di 'Primavera'.

Isa *(Charmingly)* Certo. Voi lavorate per i vostri giornali e io lavoro per il mio.

Laura Allora, si può sapere il resto di questa storia?

Isa Bene. Dopo cena, mentre io e Giulia stavamo parlando vicino al fuoco, abbiamo sentito un altro rumore.

Laura Un rumore di passi?

Isa Esatto.

Massimo Finalmente!

Isa Mamma mia, ho pensato, un ladro! Bisogna telefonare alla polizia. E, mentre stavo andando verso il telefono, trac! . . . la porta si è aperta e . . . il resto lo sapete.

WORDS AND PHRASES

ho sentito uno strano rumore	*I heard a strange noise*
l'acqua nella pentola bolliva	*the water was boiling in the saucepan*
ma è quello che sto facendo	*but that's what I'm doing*
che cosa stavo dicendo?	*what was I saying?*
Lei fa la reclame di . . .	*you're advertising . . .*
la porta si è aperta	*the door opened*

EXPLANATIONS

1 *What you and others are in the process of doing*

Che	**stai**	facendo	?
	sta		
Cosa	**stanno**		

What are you etc. doing?

Sto	**preparando** la cena
Sta	ancora **dormendo**
Stanno	

I'm / He's/she's / They're } *preparing supper. sleeping still.*

2 *How to say what was happening just before an interruption*

Cosa **stavo dicendo**? — *What was I saying?*
– **Stava parlando** del MEC, professore. — – *You were talking about the Common Market,* professore.

The Italians frequently address people by titles that indicate their professional status. Teachers are addressed as professore (*or* professoressa *for a woman*). *Similarly anyone with a degree may be called* dottore (*or* dottoressa).

3 **parlando dicendo** *etc.*

–are *verbs* parlando, andando, cercando
–ere *and* **–ire** *verbs* leggendo, scrivendo, venendo, uscendo.
some irregulars: (fare) facendo
(dire) dicendo

4 *Talking about something that's about to happen*

Sto	**per**	uscire	*I'm just going out.*
Sta		arrivare	*He's about to arrive.*
Stanno		partire	*They're just leaving.*

TALKING PRACTICE

I *Listen to the cartoon scene and read the text before answering these questions.*

1 Cosa stava facendo Toscanini quando Bertoldo l'ha salutato? ....
2 Di chi stavano parlando Verdi e la signorina Pasta in quel momento? ....
3 Nel sogno di Bertoldo, Verdi stava scrivendo un nuovo concerto? ....
4 Verdi stava ancora cercando un direttore d'orchestra per la sua opera? ....

II *The Useless Guest.*

Ha finito di scrivere quella lettera, signorina? — No, la sto ancora scrivendo.

1 Suo padre ha finito di lavorare? — No, sta ....
2 Sua madre ha finito di lavare i piatti? — No, li........................
3 Le Sue sorelle hanno finito di fare i loro compiti? *(their homework)* ....
4 I Suoi fratelli hanno finito di guardare la televisione? ....

Io mi annoio, sa, non ho niente da fare. — Allora, perchè non va in cucina a dare una mano a mia madre?

III *You and a friend are leaving Italy after a short holiday (the details of which are being left to your imagination to fill out)*

Quando siete partiti da Londra? — Siamo partiti da Londra il ventidue.

1 Quante valigie avete portato? — Ne abbiamo ....
2 Siete venuti soli o con altri amici? ....
3 Siete andati a Firenze? ....
4 Avete visto il Colosseo? ....
5 Siete stati al Foro Romano? ....
6 Avete mangiato bene, qui, in Italia? ....
7 Vi siete divertiti, allora? — Sì, ci .... e speriamo di tornare l'anno prossimo.

SYNOPSIS OF COMPREHENSION SCENES

Giulia arrives back at her flat in Rome. Gabriele, the hitch-hiker, is waiting for her. She can't face the idea of an evening alone and is relieved to see him. They decide to go out and paint the town red.

They drive to Claudia's to ask her if she'd like to join them . . .

(So as not to spoil your enjoyment of the dénouement of the Avventura *story details of the final two episodes are omitted.)*

24 REVISION

LE AVVENTURE DI BERTOLDO BERTOLINI

L'Opera – Parte Quarta

B.B. and Flavia have been abducted by Boris and Olga. They arrive at Count Bombardini's lugubrious castle.

Narrator Il lugubre castello del Conte Bombardini.
Olga Siamo arrivati.
Boris *(To guard)* Presto! Presto!
Guard lowers drawbridge
Guard Siete in ritardo. Il conte comincia a arrabbiarsi.
Boris Pioveva. La strada era brutta.
Guard Basta con le scuse. Andiamo. Il conte ha aspettato abbastanza.
Later, in the Count's study, which is full of musical memorabilia.
Bombardini *(To Boris and Olga)* Fuori, imbecilli! *(They leave. He turns to B.B.)* Benvenuto, Bertoldo. Hai fatto buon viaggio?
B.B. Questo scherzo non mi piace.
Flavia Scusi, ma chi è Lei?
Bombardini Non mi riconosci, Bertoldo? Studiavo musica a Bologna.
B.B. Anch'io studiavo a Bologna . . . non è possibile . . . sei Otello Bombardini . . . il tenore pazzo.
Bombardini Il più grande tenore del mondo.
B.B. Che cosa vuoi da me?
Bombardini *(Producing scalpel)* Voglio la tua voce!
Meanwhile Flavia has slipped behind a screen and is using her two-way wrist-radio.
Flavia *(Whispering)* Amici di Bertoldo! Aiuto! Aiuto! Bertoldo è in pericolo.
Garibaldi *(Haranguing his troops as usual)* Avanti ragazzi! Il capitano Bertolini ci chiama.
Leonardo *(Painting in his studio)* Presto! Il mio aereo!
Spats and Bugsy *(Leaping onto the running-board of their car)* Il capo ci chiama. Andiamo!
Nuvolari *(In his racing car at the Monza track)* Sono già in viaggio.
Virgilio *(Sitting astride the winged monster)* Non abbiamo tempo da perdere!
Inside the Count's operating theatre. B.B. is strapped to the table.
Narrator Ma il conte non ha perso tempo. Sta per cominciare l'operazione.
Bombardini Con la tua voce sarò il più grande tenore del mondo.
Outside the sudden noise of fighting.
Boris Signor conte, il castello è circondato da soldati.
Olga Ci sono strani oggetti nel cielo.
Boris C'è un pazzo con una chiave inglese alla porta.
Olga Ci sono due gangster americani nel salotto.
Bombardini Maledizione! Siamo fritti!
There is a short scuffle during which B.B. and Flavia are rescued and the Count and his minions taken prisoner.
Garibaldi La vittoria è nostra.
B.B. Ti devo la vita! Posso offrirti due biglietti per l'Aida di stasera?
Garibaldi Grazie, ma sono molto occupato. L'Italia mi chiama!

PIOVEVA. LA STRADA ERA BRUTTA.
IL CASTELLO È CIRCONDATO DA SOLDATI.
CI SONO STRANI OGGETTI NEL CIELO.
CI SONO DUE GANGSTER AMERICANI NEL SALOTTO.
CON LA TUA VOCE SARÒ IL PIÙ GRANDE TENORE DEL MONDO.
SIAMO FRITTI!

B.B. *(To all)* Amici, fratelli, grazie infinite. Ci vediamo alla Scala. *(To Leonardo)* Leonardo, mi potresti dare un passaggio?

Leonardo Volentieri.

B.B. and Leonardo fly off in Leonardo's plane.

WORDS AND PHRASES

il conte comincia a arrabbiarsi	*the Count's starting to get annoyed*
basta con le scuse	*that's enough excuses*
che cosa vuoi da me?	*what do you want from me?*
non abbiamo tempo da perdere	*we've no time to lose*
ci sono strani oggetti nel cielo	*there are strange things in the sky*
un pazzo con una chiave inglese	*a madman with a spanner*
ti devo la vita	*I owe you my life*
dare un passaggio	*give a lift*

TALKING PRACTICE

Before testing your knowledge of the main verb patterns in these dialogues, study the **voi** *forms given on page 102.*

I ***I, you, he, she, etc.*** *and* **andare**

You are talking to Anna and Signor Bozzi about Count Aliberti's big party tonight.

Anna:	1 Silvia va alla festa stasera?	*You:*	Sì, anch' …… ci vado. Anche …… ci ……, Anna?
	2 Sì.		Anche ……, signor Bozzi?
Sig. Bozzi:	3 Io, sì. E Caterina?	*You:*	Anche …….
	4 E Alberto?		…….
	5 I miei fratelli vanno in taxi.		……andiamo in taxi.
	6 Io e i miei fratelli andiamo in smoking *(dinner jacket)*		Anche……andate in smoking?
	7 Certo. E i Suoi fratelli?		Sì, …… in smoking.

II ***Regular verbs in* –are**

Non è difficile **parlare** tedesco.

1 Sono stato in Germania soltanto una volta e .... tedesco.
2 Anche tu .... tedesco, Gina?
3 Anche Lei .... tedesco, signorina?
4 Mia madre .... tedesco molto bene. È tedesca.
5 Quando siamo fra tedeschi .... sempre tedesco.
6 Voi .... tedesco spesso?
7 I miei fratelli non l'hanno studiato, non .... tedesco.

III ***Regular verbs in* –ere**

tutti e due *both*

Volete **prendere** tè o caffè?

1 Io non .... mai il tè.
2 Tu lo ...., Carlo?
3 Lei ...., signorina?
4 Mio padre .... spesso, proprio come un inglese.
5 Ma io e mio fratello non ....mai.
6 Allora voi .... tutti e due un caffè?
7 I tuoi fratelli .... sempre il caffè, vero, Carlo?

IV ***Regular verbs in* –ire**

sentire

Dino: 'Roberto, cos'è quel rumore?'

You:
1 Rumore? Io non .... niente.
2 Tu .... un rumore, Aldo?
3 Lei .... qualcosa, dottore?

Il dottore: 'Io no. E Lei?'

4 No, non sento niente, ma Dino .... qualcosa.
5 Io e Fabrizio non .... niente.
6 Voi .... qualcosa?
7 Loro .... niente, Dino. Forse l'hai immaginato.

25 REVISION

LE AVVENTURE DI BERTOLDO BERTOLINI

L'Opera – Parte Quinta

B.B. and Leonardo in their plane over Lombardy.

B.B. L'aereo: che invenzione geniale!

Leonardo Non avrà mai successo.

Outside La Scala, *Milan. A crowd awaits B.B.'s arrival.*

TV-reporter Signore e signori, stiamo aspettando l'arrivo del grande tenore Bertolini.

Back stage. Verdi, Toscanini, Signorina Pasta and others.

Narrator Verdi comincia a preoccuparsi.

Verdi Ma che cosa sta facendo Bertolini?

Toscanini Ha telefonato poco fa. Arriverà in tempo.

Signorina Pasta Mi sento male! *(She faints)*

Toscanini Ancora una volta!

Manager Maestro, maestro, uno strano oggetto sta arrivando dal cielo.

B.B. and Leonardo looking for a landing place.

B.B. Ecco Milano. Siamo arrivati.

Leonardo Quando ero giovane, la città era molto più piccola.

They land. The crowd hurries forward.

Toscanini Finalmente sei arrivato, Bertoldo!

B.B. Sì, grazie a Leonardo.

Toscanini Leonardo? Anche Lei è tenore?

Leonardo Faccio un po' di tutto.

Reporter *(To B.B.)* Come si sente dopo la Sua avventura?

B.B. Mi sento benissimo.

Reporter Cos'è successo?

B.B. Ero da Toscanini. Stavo per cantare e improvvisamente è andata via la luce. Poco dopo ero nel Castello Bombardini.

Reporter Che cosa voleva il conte Bombardini?

B.B. La mia voce.

Reporter Perchè?

B.B. Gli uomini famosi hanno sempre molti nemici.

Reporter Un'altra domanda.

B.B. Devo andare, ragazzi. Devo cantare fra poco. *(To Leonardo)* Leonardo, vieni con me?

Leonardo *(Who has been busy sketching an outline of the Mona Lisa)* Grazie, amico, ma non posso. Finalmente ho trovato un sorriso indimenticabile.

Later, at La Scala, *the final scene of* Aida. *All the characters from B.B.'s dreams are on stage. B.B. is in the audience and still dreaming.*

Narrator Bertoldo sta ancora sognando. Sarebbe un peccato svegliarlo, no?

FINALMENTE HO TROVATO UN SORRISO INDIMENTICABILE.

LEONARDO? ANCHE LEI È TENORE?
FACCIO UN PO' DI TUTTO.

BERTOLDO STA ANCORA SOGNANDO. SAREBBE UN PECCATO SVEGLIARLO, NO?

WORDS AND PHRASES

non avrà mai successo	*it'll never be successful*
stavo per cantare	*I was about to sing*
è andata via la luce	*the light went out*
fra poco	*in a short while*
sarebbe un peccato svegliarlo, no?	*it'd be a shame to wake him, wouldn't it?*

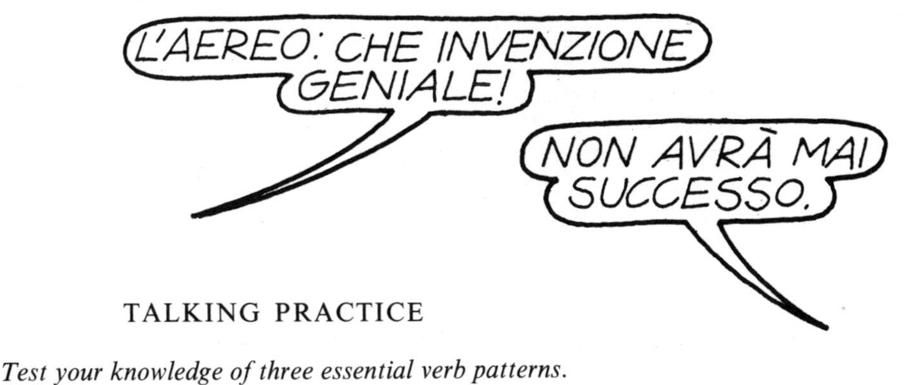

TALKING PRACTICE

Test your knowledge of three essential verb patterns.

I **essere**

1 Io .... di *(your home town)*
2 Tu di dove .... , Alberto?
3 E Lei, signorina, di .... ?
4 Davvero? Anche Franca .... di Milano.
5 Io e mia sorella .... qui per la prima volta.
6 Voi .... stati qui altre volte?
7 Sì, i nostri amici .... due anni fa.

II **sapere** / **avere**

You're at the beach with friends. Two strangers have just asked you the time – but nobody's brought a watch.

	sapere		**avere**
1	Io non **so** l'ora		Non **ho** portato l'orologio.
2	Anna, ... che ore sono?	(Anna: No)	Come? Non .... portato il tuo orologio?
3	Dottor Fusini, ... che ora è?	(Dott. F: No)	Neanche Lei .... portato l'orologio?
4	Mi dispiace il mio amico non .... l'ora		Non .... portato il suo orologio.
5	È assurdo. Siamo in tre e non .... l'ora.		Non .... portato i nostri orologi.
6	Ma voi .... dovè il bar?	(*Strangers:* No)	Non l'.............................. visto?
7	Allora forse i signori lì .... l'ora	(*Strangers:* No)	Come? Neanche loro .... l'orologio.
8	Ma, è proprio necessario .... l'ora precisa?	(*Strangers:* Sì)	Bisogna.......... un po' di pazienza.

GRAMMAR SUMMARY PROGRAMMES 22–25

1 *Reflexive verbs*

mi diverto	*I'm*	*having fun*
ti diverti	*you're*	
si diverte	*you're; he's/she's*	
ci divertiamo	*we're*	
vi divertite	*you're*	
si di**ver**tono	*they're*	

comincio a divertirmi	*I'm*	*beginning to have fun*
cominci a divertirti	*you're*	
comincia a divertirsi	*you're; he's/she's*	
cominciamo a divertirci	*we're*	
cominciate a divertirvi	*you're*	
co**min**ciano a divertirsi	*they're*	

2 **Cosa desiderano, signori?** *What do you want, gentlemen?*

The loro *form of the verb can be used to mean 'you' when speaking to several people with extreme formality. It's used for example by waiters, hotel managers etc. when talking to their clients. You'll never need to use this form yourself.*

DAYS, MONTHS, NUMBERS

Days of the week

domenica lunedì martedì mercoledì giovedì venerdì sabato

Months

gennaio febbraio marzo aprile maggio giugno
luglio agosto settembre ottobre novembre dicembre

Numbers

1 uno	14 quattordici	50 cinquanta
2 due	15 quindici	60 sessanta
3 tre	16 sedici	70 settanta
4 quattro	17 diciassette	80 ottanta
5 cinque	18 diciotto	90 novanta
6 sei	19 diciannove	100 cento
7 sette	20 venti	101 centouno
8 otto	21 ventuno	200 duecento
9 nove	22 ventidue	1000 mille
10 dieci	30 trenta	2000 duemila
11 undici	31 trentuno	1,000,000 un milione
12 dodici	32 trentadue	(1972 millenovecentosettantadue
13 tredici	40 quaranta	*not* diciannovesettantadue)

PRONUNCIATION

The best way to get to grips with Italian pronunciation is to listen repeatedly to the Avventura *records. However, here are some useful indications. Where a letter is omitted Italian pronunciation is the same as English.*

a		**a**	*as in father*	frate	*(frah-tay)*
c	1) *followed by* **a o** *or* **u**	**k**	*as in king*	casa	*(kah-zah)*
	2) *followed by* **e** *or* **i**	**ch**	*as in church*	certo	*(cher-toh)*
cc	*followed by* **e** *or* **i**	**ch**	*as in church*	braccio	*(brah-choh)*
ch		**k**	*as in king*	chiesa	*(kya-zah)*
e	1)	**a**	*as in late*	sera	*(say-rah)*
	2)	**e**	*as in wet*	senso	*(sen-soh)*
g	1) *followed by* **e** *or* **i**	**j**	*as in joy*	gente	*(jen-tay)*
	2) *followed by* **a o** *or* **u**	**g**	*as in good*	gola	*(goh-lah)*
gg	*followed by* **e** *or* **i**	**j**	*as in joy*	oggi	*(o-djee)*
gh		**g**	*as in good*	ghiaccio	*(gyah-choh)*
gl		**lli**	*as in million*	gli	*(lyee)*
gn		**ni**	*as in onion*	bagno	*(bahn-yoh)*
h	*is not pronounced*				
i		**i**	*as in machine*	tipo	*(tee-poh)*
o	1)	**o**	*as in open*	presto	*(press-toh)*
	2)	**o**	*as in soft*	oggi	*(o-djee)*
r	*is rolled in the front of the mouth*				
s	1)	**s**	*as in taste*	sigaro	*(see-gar-oh)*
	2)	**s**	*as in rose*	svegliare	*(svell-yah-ray)*
sc	1) *followed by* **e** *or* **i**	**sh**	*as in ship*	scena	*(shay-nah)*
	2) *followed by* **a o** *or* **u**	**sk**	*as in skirt*	scusi	*(skoo-zee)*
u		**oo**	*as in moon*	una	*(oo-nah)*
z	1)	**ts**	*as in cuts*	nazione	*(nah-tsion-ay)*
	2)	**ds**	*as in sods*	mezzo	*(meds-oh)*

*Double consonants (***cc gg tt vv ll** *etc.) always represent a single but more heavily stressed sound.* avventura attacco

Italy, like England, has a wide variety of accents, so you will find quite noticeable regional variations in the pronunciation of certain words and sounds.

STRESS *Stress is placed on accented syllables:* città, caffè, però, più.

Most Italian words are stressed on the next to last syllable:

avere vest*i*to rap*i*na.

However there are many exceptions to this, and to all other so-called rules about stress.

The best way to deal with stress is to listen repeatedly to the Avventura *records.*

In the vocabulary list at the back of the book the stress in certain words is indicated by a letter in **bold** *type.*

REGULAR VERBS

	Present	*Past Participle*	*Imperfect*	*Future*	*Conditional*
parlare	parlo	parlato	parlavo	parlerò	parlerei
	parli		parlavi	parlerai	parleresti
	parla		parlava	parlerà	parlerebbe
	parliamo		parlavamo	parleremo	parleremmo
	parlate		parlavate	parlerete	parlereste
	parlano		parlavano	parleranno	parlerebbero
vendere	vendo	venduto	vendevo	venderò	venderei
	vendi		vendevi	venderai	vendereste
	vende		vendeva	venderà	venderebbe
	vendiamo		vendevamo	venderemo	venderemmo
	vendete		vendevate	venderete	vendereste
	vendono		vendevano	venderanno	venderebbero
partire	parto	partito	partivo	partirò	partirei
	parti		partivi	partirai	partiresti
	parte		partiva	partirà	partirebbe
	partiamo		partivamo	partiremo	partiremmo
	partite		partivate	partirete	partireste
	partono		partivano	partiranno	partirebbero
capire	capisco				
	capisci				
	capisce				
	capiamo				
	capite				
	capiscono				

(*other verbs that follow* capire *pattern:*
finire preferire guarire unire)

SOME IRREGULAR VERBS

	Present	*Past Participle*	*Imperfect*	*Future*	*Conditional*
andare	vado			andrò	andrei
	vai			andrai	andresti
	va			andrà	andrebbe
	andiamo			andremo	andremmo
	andate			andrete	andreste
	vanno			andranno	andrebbero
aprire		aperto			
avere	(see p. 132)			avrò etc.	avrei etc.
bere	bevo	bevuto	beveva etc.	berrò etc.	berrei etc.
	bevi				
	beve				
	beviamo				
	bevete				
	bevono				
chiedere		chiesto			

	Present	*Past Participle*	*Imperfect*	*Future*	*Conditional*
chiudere		chiuso			
dare	(see p. 132)				
dire	dico dici dice diciamo dite dicono	detto	dicevo etc.	dirò etc.	direi etc.
dovere	devo devi deve dobbiamo dovete devono			dovrò etc.	dovrei etc.
essere	sono sei è siamo siete sono	stato	ero eri era eravamo eravate erano	sarò sarai sarà saremo sarete saranno	sarei saresti sarebbe saremmo sareste sarebbero
fare	faccio fai fa facciamo fate fanno	fatto	facevo etc.	farò etc.	farei etc.
leggere		letto			
mettere		messo			
offrire		offerto			
perdere		perso *or* perduto			
potere	posso puoi può possiamo potete possono			potrò etc.	potrei etc.
resistere		resistito			
rimanere	rimango rimani rimane rimaniamo rimanete rimangono	rimasto		rimarrò etc.	rimarrei etc.
rispondere		risposto			

	Present	*Past Participle*	*Imperfect*	*Future*	*Conditional*
riuscire	riesco riesci riesce riusciamo riuscite riescono				
rompere		rotto			
sapere	(see p. 132)			saprò etc.	saprei etc.
scoprire		scoperto			
scrivere		scritto			
spendere		speso			
stare	(see p. 132)			starò etc.	starei etc.
succedere		successo			
svenire		svenuto			
tenere	tengo tieni tiene teniamo tenete tengono			terrò etc.	terrei etc.
uscire	esco esci esce usciamo uscite escono				
vedere		visto *or* veduto		vedrò etc.	vedrei etc.
venire	vengo vieni viene veniamo venite vengono	venuto		verrò etc.	verrei etc.
vincere		vinto			
volere	voglio vuoi vuole vogliamo volete vogliono				vorrei etc.

Programme 1

I 1 Sì, sono belle. 2 No, non è bello. 3 Sì, è nuovo. 4 No, non sono belli. 5 Sì, sono brutti. 6 No, non è brutta.

II 1 Sì, sono nuove. 2 Sì, sono nuovi. 3 Sì, è nuovo. 4 Sì, è nuova.

III 1 No, non è la signorina Volpi. 2 No, non è la sorella di Bertoldo. 3 No, non è la segretaria del dottor Granata. 4 No, non è Flavia. 5 No, non è la sorella di Flavia.

IV 1 Sì, è bellissimo. 2 Sì, è bellissima. 3 Sì, sono bruttissime. 4 Sì, è timidissimo. 5 Sì, sono nuovissimi.

Programme 2

I 1 Certo. Ecco il whisky. 2 Certo. Ecco la borsetta. 3 Certo. Ecco la vodka. 4 Certo. Ecco il telefono.

II 1 No, non prendo cocaina. 2 No, non parlo arabo. 3 No, non vendo passaporti. 4 No, non prendo la droga. 5 No, non compro diamanti.

III 1 Perchè non compra due vestiti? Non sono cari. 2 Perchè non compra due borsette? Non sono care. 3 Perchè non compra due cappelli? Non sono cari. 4 Perchè non compra due macchine? Non sono care.

IV 1 bisogna vendere tutti i modelli. 2 bisogna vendere tutte le borsette. 3 bisogna vendere tutti i vestiti. 4 bisogna parlare tutte le lingue.

Programme 3

I 1 Va a Foligno. 2 Parte domani. 3 Va in treno. 4 È un pittore.

II 1 Davvero? Anch'io vado a Roma domani. 2 Davvero? Anch'io vado in aereo. 3 Davvero? Anch'io parto alle dieci. 4 Davvero? Anch'io vado a comprare una nuova macchina.

III 1 Ma non c'è un treno da qui a Stromboli. 2 Ma non c'è un autobus da qui a Stromboli. 3 Ma non c'è un taxi da qui a Stromboli.

IV 1 No, parto oggi. 2 No, vado in treno. 3 Arrivo all'una. 4 Torno domani.

V 1 Perchè non vai in macchina? 2 Perchè non prendi l'autostrada? 3 Perchè non torni domani? 4 Perchè non vai con la contessa?

Programme 4

I 1 No, non ha una sigaretta. 2 No, non hanno sigarette. 3 No, non hanno sigari. 4 No, non ha il telefono.

II 1 Mi scusi, vado bene per la stazione? Sì, sì. Va sempre diritto e quando arriva in Piazza Navona gira a sinistra. 2 Mi scusi, vado bene per l'autostrada? Sì, sì. Va sempre diritto e quando arriva in Piazza Navona gira a destra. 3 Mi scusi, vado bene per il centro? Sì, sì. Va sempre diritto e quando arriva in Piazza Navona gira a sinistra.

III 1 C'è una pensione qui vicino? Sì, c'è una pensione in Via Venezia. Come arrivo a Via Venezia? Gira a destra dopo il semaforo. 2 C'è un ristorante qui vicino? Sì, c'è un ristorante in Via Firenze. Come arrivo a Via Firenze? Gira a sinistra dopo il semaforo. 3 C'è una farmacia qui vicino? Sì, c'è una farmacia in Via Milano. Come arrivo a Via Milano? Gira a destra prima del semaforo. 4 C'è un bar qui vicino? Sì, c'è un bar in Via Roma. Come arrivo a Via Roma? Gira a sinistra prima del semaforo.

IV 1 Qui all'Inferno ci sono molti generali. 2 Qui all'Inferno ci sono molti senatori. 3 Qui all'Inferno ci sono molti presidenti.

Programme 5

I 1 No, non perde il treno. 2 No, non è in vacanza. 3 No, non ha un appuntamento con una ragazza. 4 Sì, ha un appuntamento con quattro clienti. 5 No, non parla inglese. 6 No, non vende macchine. 7 Sì, vende vestiti.

II 1 Anche lei va a Venezia. 2 Anche lui va a Venezia. 3 Anche lei va a Venezia.

III 1 No, sono in ritardo. Vado in macchina. 2 No, sono in ritardo. Prendo l'aereo. 3 No, sono in ritardo. Prendo l'elicottero.

IV 1 Ne prende un'altra, signore? 2 Ne prende un altro, signore? 3 Ne prende un'altra, signore? 4 Ne prende un altro, signore?

V 1 No, ci vado il sei. 2 No, ci vado il nove. 3 No, ci vado il tredici. 4 No, ci vado il quindici. 5 No, ci vado il diciotto. 6 No, ci vado domani.

VI 1 Sono le sette. 2 Sono le sette e mezzo. 3 Sono le otto. 4 Sono le otto e mezzo. 6 È l'una e mezzo.

Programme 6

I 1 La vede al Grand Hotel. 2 Li presenta al Grand Hotel. 3 Lo gioca sul dieci. 4 Sì, vuole parlare con la bionda. 5 No, non vuole andare al cinema. 6 No, non vuole parlare con Bertoldo.

II 1 Nel sogno va a giocare alla roulette. 2 Nel sogno ha una bell'amica. 3 Nel sogno è ricco. 4 Nel sogno parla con la bionda. 5 Nel sogno perde e vince milioni.

III 1 Ne vorrei quattro o cinque. 2 Quanti ne vuole? Ne vorrei sei o sette. 3 Quante ne vuole? Ne vorrei otto o nove. 4 Quante ne vuole? Ne vorrei nove o dieci.

IV 1 No, la prendo io. 2 No, la preparo io. 3 No, lo prendo io. 4 No, li compro io.

V 1 Lo vuole con limone o senza? 2 Li vuole con panna o senza? 3 Lo vuole con acqua o senza? 4 Li vuole con zucchero o senza?

Programme 7

I 1 Ha perso una valigia nera. 2 La cerca all'ufficio oggetti smarriti. 3 Ci sono trenta vestiti. 4 Sono vestiti da donna. 5 No, non sono nella valigia. 6 No, non ha trovato il ladro dei vestiti.

II 1 È nel cassetto. 2 Sono nell'altro cassetto. 3 Sono nella valigia. 4 Sono nell'altra camera. 5 Sono nella macchina.

III 1 No, cosa ha detto? 2 No, cosa hai detto? 3 No, cosa ha risposto? 4 No, cosa hai risposto?

IV 1 È mia sorella. 2 È la mia segretaria. 3 È il mio direttore. 4 È mio fratello. 5 È il mio medico. 6 È mia moglie.

V 1 Eccoli all'altro tavolo. 2 Eccolo al banco. 3 Eccole all'angolo della strada. 4 Eccola al tavolo là in fondo.

Programme 8

I 1 Sì, deve interrogarlo. 2 Sì, vuole lavarli. 3 No, non vuole prenderlo. 4 Sì, può averla. 5 No, non può averla.

II 1 No, se dormo troppo, non posso lavorare. 2 No, se lavoro troppo, non posso mangiare. 3 No, se mangio troppo, non posso camminare. 4 No, se cammino troppo, non posso fumare. 5 No, se fumo troppo, non posso parlare. 6 No, se parlo troppo, non posso fare niente.

III 1 No, devi farlo così, con i piedi fermi. 2 No, devi farlo così, con le gambe così. 3 No, devi farlo così, con la testa giù. 4 No, devi farlo così, con l'altro braccio così.

IV 1 Il direttore non c'è. Può vedere il signor Marino, se vuole. 2 Il commissario non c'è. Può vedere il brigadiere se vuole. 3 Il signor Poli non c'è. Può vedere la signora Poli, se vuole. 4 La signora Conti non c'è. Può parlare con la signorina Conti, se vuole. 5 Anna non c'è. Può parlare con Silvia, se vuole. 6 Il dottor Bruni non c'è. Può parlare con la signora Bruni, se vuole. 7 Il Ministro non c'è. Può parlare con la segretaria, se vuole.

Programme 9

I 1 Ha parlato con Bonnie al Club. 2 Ha parlato con lei per poco tempo. 3 No, non ha visto la nonna. 4 Ha parlato con Fingers e Bugsy in ufficio. 5 Ha fatto la rapina di giorno. 6 No, non ha fatto una rapina perfetta.

II 1 Buon'idea. Andiamo al cinema. 2 Buon'idea. Mangiamo prima. 3 Buon'idea. Prendiamo una birra adesso. 4 Buon'idea. Andiamo al club dopo il cinema. 5 Buon'idea. Torniamo qui più tardi.

III 1 Anche noi dobbiamo andarci. Puoi venire con noi, se vuoi. 2 Anche noi dobbiamo andarci. Puoi venire con noi, se vuoi. 3 Anche noi vogliamo andarci. Puoi venire con noi, se vuoi. 4 Anche noi vogliamo andarci. Puoi venire con noi, se vuoi.

IV 1 C'incontriamo qui. 2 Facciamo una gita. 3 Andiamo al mare. 4 Sì, prendiamo il treno. 5 Sì, mangiamo lì. 6 Sì, facciamo il bagno. 7 Sì, torniamo molto tardi.

Programme 10

I 1 No, non è stato in Asia. 2 È partito sei mesi fa. 3 È andato con una segretaria. 4 Sì, è andata con lui nella giungla. 5 Sono partiti il due gennaio. 6 Sì, sono andati fino a Ugigi. 7 No, non sono tornati insieme. 8 La segretaria è diventata la moglie del capo e la regina della tribù.

II 1 Anche loro sono uscite. 2 Anche lui è uscito. 3 Anche lei è uscita. 4 Anche loro sono usciti.

III 1 Anche noi siamo andati a Ostia. 2 Anche noi siamo arrivati molto tardi. 3 Anche noi siamo rimasti fino alle cinque.

IV 1 Ciao Tonino, sei venuto da solo? 2 Ma dottore, che fa? Non beve niente? 3 Signor Riva, non è ancora arrivata Sua sorella? 4 Francesca, il tuo amico ha la macchina? 5 E Lei, signorina, non deve tornare con l'autobus? 6 Marisa, mi dispiace, ma non trovo la tua pelliccia.

V 1 È appena arrivato. 2 È appena tornata. 3 Sono appena andati via. 4 È appena partito. 5 È appena arrivata. 6 Sì, è appena andata via.

Programme 11

I 1 No, non sono stati prigionieri all'Inferno. Era solo un sogno. 2 No, non ha venduto il Colosseo a un americano. Era solo un sogno. 3 Sì, ha venduto mille vestiti a un francese. 4 Sì, ha comprato un regalo per Bertoldo. 5 Sì, sono andati insieme a Venezia. 6 No, non sono andati insieme in Africa. Era solo un sogno. 7 No, non sono andati insieme al Casinò. Era solo un sogno. 8 No, non ha fatto una rapina a Chicago. Era solo un sogno. 9 No, non è diventata la regina dei cannibali. Era solo un sogno. 10 Sì, ha invitato Bertoldo a prendere un caffè.

II 1 No, ne ha molti. 2 No, ne fa molti. 3 No, ne ha pochi. 4 No, ne porta molti. 5 No, ne perde molti. 6 No, ne hanno poche.

III 1 Anche tu fai molti sogni, Flavia? 2 Sei stanca, Flavia? Vuoi andare a casa? 3 Questa è la tua pelliccia, vero, Flavia?

IV 1 Non sono andata a comprare niente. 2 Non ho visto nessuno. 3 No, non ho incontrato nessuno. 4 No, non ho perso niente. 5 No, non ho parlato con nessuno. 6 Non è successo niente.

V 1 Martedì devo andare in Germania. 2 Mercoledì devo andare a Roma. 3 Giovedì devo andare in Francia. 4 Venerdì devo andare a Milano. 5 Sabato devo andare da Anna. 6 Domenica devo andare dal Cardinale Grappa.

Programme 12

Ia 1 Sì, l'ha mandata a Napoli. 2 No, non l'ha vista. 3 Sì, l'ha trovato morto. 4 No, non l'ha incontrata. 5 Sì, li ha comprati.

Ib 1 No, non li ha visti. 2 Sì, li ha incontrati. 3 No, non le ha trovate. 4 Sì, le ha trovate.

II 1 Non l'ho più visto e non voglio vederlo più. 2 Non le ho più viste e non voglio vederle più. 3 Non li ho più visti e non voglio vederli più. 4 Non l'ho più vista e non voglio vederla più.

III Answers according to experience and inclination.

IV 1 Le ho prese stamattina. 2 L'ho vista stamattina. 3 Le ho preparate stamattina. 4 L'ho fatto stamattina.

Programme 13

I 1 Le piace. 2 Non le piacciono. 3 Non le piacciono. 4 Le piace. 5 Non le piacciono. 6 Non le piacciono. 7 Non le piace. 8 Le piace.

II 1 No, non gli piace. 2 Sì, gli piace. 3 No, non gli piace. 4 No, non gli piacciono. 5 Gli piacciono. 6 Sì, gli piace. 7 Gli piace.

III 1 Preferisco i ravioli, ma purtroppo ho pochi soldi. Prendo la minestra. 2 Preferisco lo spumante, ma purtroppo ho pochi soldi. Prendo la birra. 3 Preferisco l'aragosta, ma purtroppo ho pochi soldi. Prendo lo spezzatino.

4 Preferisco la macedonia, ma purtroppo ho pochi soldi. Prendo la mela. 5 Preferisco il cognac, ma purtroppo ho pochi soldi. Prendo un caffè.

IV Answers according to taste.

V 1 Ti piace? 2 Ti piace? 3 Ti piacciono? 4 Non ti piace? 5 Ti piacciono?

Programme 14

I 1 Hanno meno uomini. 2 Sono più coraggiosi. 3 Sono meno forti. 4 L'hanno vinta. 5 Gli piacciono.

II 1 Sì, siamo stranieri. 2 Sì, siamo inglesi. 3 No, siamo arrivati ieri. 4 No, siamo qui per poco tempo. 5 Sì, siamo in vacanza.

III 1 Ma tutti gli impiegati hanno i capelli corti. 2 Ma tutti gli impiegati portano la cravatta. 3 Ma tutti gli impiegati hanno vacanze brevi. 4 Ma tutti gli impiegati lavorano per uno stipendio misero.

IV 1 tutte le ragazze camminano a piedi nudi. 2 tutte le ragazze discutono di politica. 3 tutte le ragazze mettono il rossetto. 4 tutte le ragazze hanno i capelli verdi. 5 tutte le ragazze vanno a letto con i ragazzi.

V 1 Quando dico che voglio mangiare a casa, mia moglie dice che vuole mangiare fuori. 2 Se dico che voglio andare al cinema, i miei figli dicono che vogliono guardare la televisione. 3 Ma se io dico che voglio fare una gita, tutti dicono che non possono uscire. 4 Però, se dico che voglio andare al mare, loro dicono che vogliono andare in montagna.

Programme 15

I 1 No, gli ha detto: 'La Sicilia è italiana'. 2 Sì, gli ha risposto. 3 No, gli ha scritto: 'Siamo con voi'.

II 1 No, le ha detto: 'Questa è la giacca'. 2 Sì, le ha spiegato come metterla. 3 Sì, le ha spiegato come metterla. 4 No, le ha dato un bicchiere d'acqua.

III 1 Oggi gli artisti non sanno più cosa dipingere. Dipingono cose assurde. 2 Questi giornalisti non sanno più cosa scrivere. Scrivono cose assurde. 3 Oggi i giovani non sanno più cosa fare. Fanno cose assurde. 4 Oggi nei negozi non sanno più cosa vendere. Vendono cose assurde. 5 Oggi le donne non sanno più cosa portare. Portano cose assurde.

IV 1 No, non si può. Gli ippopotami non ballano. 2 Sì, si può. Le scimmie giocano. 3 No, non si può. I leoni non giocano a tennis. 4 Sì, si può. I cani nuotano. 5 Sì, si può, ma è pericoloso.

V 1 E Lei, dottore, è pronto? Sì, sono pronto. 2 E tu, Silvio, sei pronto? Sì, sono pronto. 3 E Lei, signorina, è pronta? Sì, sono pronta. 4 Aldo, Francesca, siete pronti? Sì, siamo pronti. 5 I vostri bambini sono pronti? Sì, sono pronti.

VI 1 Cosa gli hai detto? 2 Cosa ti ha risposto? 3 Cosa gli hai detto? 4 Cosa ti ha risposto? 5 Cosa gli hai detto? 6 Cosa ti ha risposto?

Programme 16

I 1 Le ha portato dei fiori. 2 Sì, le ha detto cose carine. 3 No, non le ha dato dei fiori. 4 No, non le ha detto cose carine. 5 Gli ha dato la sua spada. 6 No, non gli ha dato niente. 7 No, gli ha detto: 'Sei un eroe'.

8 No, gli ha risposto: 'Grazie Maestà, ma i veri eroi sono i miei uomini e soprattutto il Capitano Bertolini'.

II 1 Viva l'Olanda e viva gli olandesi! 2 Viva il Belgio e viva i belgi! 3 Viva l'Italia e viva gli italiani! 4 Viva l'Inghilterra e viva gli inglesi! 5 Viva la Danimarca e viva i danesi! 6 Viva la Francia e viva i francesi! 7 Viva l'Europa e viva gli europei!

III Answers according to experience and taste.

IV Answers according to taste.

Programme 17

I 1 Abitavano in una villa. 2 Si chiamava 'La Gioconda'. 3 Era un demonio. 4 Andava a messa con sua madre. 5 Guardava Sandra.

II 1 Li portava lunghi. 2 Li portavano corti. 3 Li aveva verdi. 4 Li aveva biondi.

III Answers according to aspirations and present day reality.

IV 1 No, nessuno portava la minigonna al tempo di Lucrezia Borgia. 2 No, nessuno aveva la macchina al tempo di Giulio Cesare. 3 No, nessuno viaggiava in aereo al tempo di Gesù Cristo.

Programme 18

Ia) 1 Sì, l'ha vista. 2 No, non hanno parlato di lui. 3 No, non hanno parlato di Francesca. 4 No, non lo sapeva. 5 No, non la conosceva. 6 No, non ha mai parlato con lei di Francesca.

b) 1 Secondo loro, non può essere colpevole. 2 Secondo lui, può essere colpevole. 3 Secondo lui, Mario ha segreti per Claudia. 4 Secondo lei, esagera.

c) Follow your hunch.

II Answers depend on your knowledge.

III 1 Bisogna cambiarle? 2 Bisogna cambiarla? 3 Bisogna cambiarle? 4 Bisogna controllarla? 5 Bisogna controllarli? 6 Bisogna controllarlo?

IV 1 Non le piace. 2 Non gli piace. 3 Sì, mi piacciono. 4 Non gli piacciono. 5 Non le piacciono. 6 Sì, mi piace. 7 Sì, ma non gli piace. 8 L'ha visto, ma non le piace. 9 Non gli piace.

Programme 19

I 1 Spero di no. 2 Spero di sì. 3 Spero di no. 4 Spero di no. 5 Spero di sì. 6 Spero di sì.

II 1 Arriverà, vedrà. 2 Oggi funzionerà bene, vedrà. 3 Oggi funzioneranno bene, vedrà. 4 Questa volta vincerà, vedrà. 5 Quest'anno non vinceranno, vedrà.

III 1 Sì, prenderò l'autostrada. 2 Sì, prenderanno il treno. 3 Sì, prenderà l'autobus. 4 Sì, arriverò verso le tre. 5 Esatto, e arriveranno alle due e mezzo. 6 Allora arriverete verso le due.

IV Use your crystal ball.

V 1 Non penso che manderà un telegramma. 2 Non penso che chiamerà. 3 Non penso che scriverà. 4 Non penso che arriveranno. 5 Non penso che manderanno fiori. 6 Non penso che telefoneranno.

Programme 20

I 1 Lo pensa, ma non glielo dice. 2 Lo pensa, ma non glielo dice. 3 Lo pensa, ma non glielo dice.

II 1 No, non glielo dice. 2 Sì, glielo porta. 3 No, non glielo dice. 4 Sì, glielo dice. 5 No, non glielo dice.

III 1 Non posso. Ho da fare. 2 Non posso. Ho da fare. 3 Non posso. Ho da fare. 4 Non posso. Ho da fare.

IV 1 Te l'ha detto? 2 Te l'ha dato? 3 Te l'ha detto? 4 Te l'ha fatto? 5 Te l'ha detto?

V 1 No, non glielo so dire. 2 No, non glielo so dire. 3 No, non glielo so dire.

Programme 21

I 1 Un giorno ci andrà, ne sono sicuro/a. 2 Un giorno le vedrà, ne sono sicuro/a. 3 Un giorno ci andrà, ne sono sicuro/a. 4 Un giorno lo farà, ne sono sicuro/a. 5 Un giorno li vedrà, ne sono sicuro/a. 6 Un giorno li avrà, ne sono sicuro/a.

II 1 Chi ha incontrato? 2 Dov'è andata? 3 Cosa è successo? 4 Chi ha visto? 5 Cosa ha fatto? 6 Dove ha messo l'altra testa? 7 Cosa ha fatto? 8 Chi era?

Programme 22

I 1 Sì, si sente male. 2 Si annoia. 3 Si divertono. 4 No, si sente meglio. 5 No, non si spaventa.

II 1 Comincia a annoiarsi. 2 Cominciano a annoiarsi. 3 Comincia a divertirsi. 4 Cominciano a divertirsi. 5 Comincia a preoccuparsi. 6 Cominciano a preoccuparsi.

III 1 Anche lei si sente male. 2 Anche loro si sentono male. 3 Anche lui si sente male. 4 Anche lei ha mal di gola. 5 Anche loro hanno mal di gola. 6 Anche lui ha mal di gola. 7 Anche lei ha la febbre alta. 8 Anche loro hanno la febbre alta. 9 Anche lui ha la febbre alta.

Programme 23

I 1 Stava preparando un nuovo cocktail. 2 Stavano parlando di Toscanini. 3 No, stava scrivendo una nuova opera. 4 No, stava cercando un tenore.

II 1 No, sta ancora lavorando. 2 No, li sta ancora lavando. 3 No, li stanno ancora facendo. 4 No, la stanno ancora guardando.

III Answers to taste.

Programme 24

I 1 Si, anch'io ci vado. Anche tu ci vai, Anna? 2 Anche Lei ci va, signor Bozzi? 3 Anche lei ci va. 4 Anche lui ci va. 5 Anche noi andiamo in taxi. 6 Anche voi andate in smoking? 7 Sì, anche loro vanno in smoking.

II 1 parlo 2 parli 3 parla 4 parla 5 parliamo 6 parlate 7 parlano

III 1 prendo 2 prendi 3 lo prende 4 lo prende 5 lo prendiamo 6 prendete 7 prendono

IV 1 sento 2 senti 3 sente 4 sente 5 sentiamo 6 sentite 7 non sentono

Programme 25

I 1 Io sono di . . . 2 sei 3 dov'è 4 è 5 siamo 6 siete 7 sono stati qui

II 1 Non ho portato l'orologio. 2 Anna, sai che ore sono? Come? Non hai portato il tuo orologio? 3 Dottor Fusini, sa che ora è? Neanche Lei ha portato l'orologio? 4 Mi dispiace, il mio amico non sa l'ora. Non ha portato il suo orologio. 5 È assurdo, siamo in tre e non sappiamo l'ora. Non abbiamo portato i nostri orologi. 6 Voi sapete dov'è il bar? Non l'avete visto? 7 Allora forse i signori lì sanno l'ora. Come? Neanche loro hanno portato l'orologio. 8 Ma è proprio necessario sapere l'ora precisa? Bisogna avere un po' di pazienza.

Answers to explanations in programme 1

I *(practise the –o and –a patterns)*
Flavia è bella, ma il ministro non è bello.
Il ministro è grasso, ma Flavia non è grassa.
Questa borsetta è ridicola e questo cappello è ridicolo.
Quello è il nuovo catalogo. Quella è la nuova segretaria.
(practise the –i and –e patterns)
I nuovi guanti sono bruttissimi.
Le borsette sono belle ma i cappelli non sono belli.
Quelle nuove macchine sono assurde.
I fratelli sono grassi e bassi.

VOCABULARY

** Verbs which are marked with an asterisk go with* essere *in the past.*
Bold type indicates where the stress falls in each word.

A

a 1) *to* 2) *at*
abbassare *to lower*
abbastanza *enough, fairly*
un abitante *inhabitant*
abitare *to live*
accettare *to accept*
accidenti! *damn!*
accomodarsi:
s'accomodi 1) *make yourself at home* 2) *please come in* 3) *take a seat*
accompagnare *to accompany*
un'acqua *water*
addio *farewell*
adesso *now*
adorare *adore*
un aereo *aeroplane*
un aeroporto *airport*
gli affari *business*
affatto *at all; entirely*
affittare *to rent*
un'agenzia *agency*
aiutare *to help*
un aiuto *help*
aiuto! *help!*
al, all', allo, alla
ai, agli, alle *to the, at the*
un'alba *dawn*
un albergo *hotel*
un'alice *anchovy*
allora *so, well then, then*
alt! *stop!*
Altezza *your Highness*
alto *tall*
altro 1) *other* 2) *else*
un'amante *lover*
amare *to love*
un americano *American*
un'amicizia *friendship*
un amico *friend*
un amore *love*
anche 1) *also, too* 2) *even*
ancora 1) *still* 2) *yet*
andare* *to go*
andare a trovare *to visit*
andare a casa *to go home*
un angelo *angel*
un angolo *corner*
un animale *animal*
un anniversario *anniversary*
un anno *year*
annoiarsi *to be bored, to get bored*
antico *ancient*
un appartamento *flat*
appena *just; hardly*
un appuntamento *appointment*
aprire *to open*
un'aria *air* aria condizionata *air conditioning*
un armadio *cupboard*
un'armatura *armour*
un'armonica *mouth-organ, harmonica*
arrabbiarsi *to get angry*
arrestare *to arrest*
arrivare* *to arrive*
arrivederci! *goodbye!*
un arrivo *arrival*
arrogante *arrogant*
un arrosto *roast*
un ascensore *lift*
aspettare *to wait*
assaggiare *to taste*
assassinato *murdered*
un assegno *cheque*
assolutamente *absolutely*
assurdo *absurd*
un attacco *attack*
attenzione *careful!* fare attenzione *to pay attention to, to look after*
un aumento *increase, rise*
un autobus *bus*
un'autostrada *motorway*
un autunno *autumn*
avanti *come in! forward!*
avaro *mean*
avere *to have*
avere bisogno di *to need*
avere da fare *to have something to do*
avere la febbre *to have a temperature*
avere paura *to be afraid*
avere ragione *to be right, correct*
un'avventura *adventure*
un avvocato *lawyer*
un'azione *action*
azzurro *sky blue*

B

bagnare *to wet, to bathe*
ballare *to dance*
il bambino *child, baby*

la banca *bank*
il banco *counter*
il bar *bar*
la barba *beard* che barba! *what a bore!*
la barca *boat*
basta! *enough! stop it!*
bastare* *to be enough*
basso 1) *small* 2) *low*
la battaglia *battle*
bello *beautiful*
bene *well* va bene *(it's) OK, (it's) all right*
bentornato *welcome back*
benvenuto *welcome*
la benzina *petrol*
bere *to drink*
la biancheria intima *underwear*
bianco *white* in bianco e nero *in black and white*
il bicchiere *glass*
il biglietto *ticket* biglietto di andata e ritorno *return ticket*
il binario *platform*
biondo *blonde*
la birra *beer*
bisognare *to be necessary*
bisogno: avere bisogno *to need*
bollire *to boil*
bordo: a bordo *on board*
la borsa d'acqua calda *hot water bottle*
la borsetta *handbag*
il box *pits (racing)*
il braccio *arm* (le braccia *arms*)
bravo *good*
bravo! *bravo!*
brutalmente *brutally*
brutto *ugly*
il buio *darkness*
buongiorno! *good morning*
buono *good*

C

caccia: alla caccia di *in pursuit of*
cadere* *to fall*
il caffè 1) *coffee* 2) *café*
caldo *hot*
calma! *take it easy! calm down!*
la calza *stocking, sock*
il calzino *sock*
cambiare *to change*
il cambio 1) *gear box* 2) *money exchange, bureau de change* in cambio *in exchange*
la camera *room*
la camicia *shirt*
camminare *to walk*
la campana *bell*
il campione *champion*
la candela 1) *sparking plug* 2) *candle*
il cannibale *cannibal*
cantare *to sing*
la canzone *song*
i capelli *hair*
capire *to understand*
il capitano *captain*
il capo *boss*
il cappello *hat*
il cappotto *overcoat*
il carattere *character, temperament*
il carburatore *carburettor*
carino *nice*
caro 1) *dear, beloved* 2) *expensive*
la carota *carrot*
la cartolina *postcard*
la casa *house* andare a casa *to go home*
il casinò *casino*
il cassetto *drawer*
il castello *castle*
il catalogo *catalogue*
cattivo *wicked, bad, naughty*
il caviale *caviar*
c'è *(see* ci*)*
la cella *cell*
la cena *dinner*
centrale *central*
il centro *centre*
cento *a hundred*
cercare *to look for* cercare di *to try to*
la cerniera *zip*
certe, certi *some*
certo *certainly*
che *that, who, what* che bello! *how lovely!* che cosa? *what?*
chi *who*
chiamare *to call*
chiamarsi: mi chiamo *my name is* si chiama *he, she, it's called*
la chiave *key* chiave inglese *spanner*
chiedere *to ask for*
la chiesa *church*

il chilometro *kilometre*
chissà . . . *who knows . . .*
chiudere *to close*
ci *here; there* c'è *there is*
ci sono *there are*
ci *us; ourselves*
ciao! *goodbye! hello!*
la cicatrice *scar*
il cielo *sky*
il cioccolatino *chocolate*
la cipolla *onion*
circondato (da) *surrounded (by)*
il circuito *track*
il cinema *cinema*
la città *city; town*
la classe *style; class*
il cliente *client*
il coccodrillo *crocodile*
il cognome *surname*
il colore *colour*
colpevole *guilty*
il colpo *job; blow*
il comando *command*
combattere *to fight*
come *how; as like*
come mai? *how on earth?*
cominciare *to begin*
la commedia *comedy*
il commesso viaggiatore *commercial traveller*
il commissario *inspector*
completo *full up*
complimenti! *congratulations!*
comprare *to buy*
con *with*
la confusione *confusion*
conoscere *to know*
la conquista *conquest*
conquistare *to conquer*
il consiglio *piece of advice*
il conte *count*
continuare *to continue*
il contratto *contract*
contro *against*
controllare *to check, to look into*
la coperta *blanket*
la copia *copy*
la coppia *couple*
il coraggio *courage*
coraggioso *courageous*
cordiale *friendly*
la corsa *race*
la cortesia *favour* fare una cortesia *to do a favour*
corto *short*
la cosa *thing* che cosa? *what?*
così *thus, like this; so*
costare* *to cost* quanto costa? *how much?*
il costo della vita *cost of living*
la cravatta *tie*
credere *to believe, to think* credo di sì, di no *I think so, don't think so*
la crema *cream*
il cretino *idiot*
la cucina *kitchen*
il cuoco *cook*

D

da *from, since; at* da solo *on one's own* da fuori *from outside* da Toscanini *at Toscanini's*
d'accordo *agreed*
dal, dall', dallo, dalla, dai, dagli, dalle *from the, at the;* dal direttore *at the boss's*
danese *Danish* un danese *Dane*
dare *to give*
dare fastidio: Le dà fastidio . . . ? *do you mind . . .?*
dare l'Aida: *to put on* 'Aida'
dare una mano *to give a hand*
dare un passaggio *to give a lift*
diamoci del tu *let's say* tu *to each other*
ma dai! *come off it!*
davanti (a, al etc.) *in front (of), opposite*
davvero? *really?*
debole *weak*
decidere *to decide*
del, dell', dello, della, dei, degli, delle *of the; some, any* delle donne *some women*
il demonio *demon*
dentro *inside*
desiderare *to want, wish*
la destinazione *destination*
destra *right* a destra *on the right; to the right*
detestare *to hate, detest*

di *of; from*
il diavolo *devil*
dietro *behind*
il dilettante *amateur*
dimenticare *to forget*
il Dio *God*
dipingere *to paint*
dire *to say* volere dire *to mean*
il direttore *director, boss; conductor*
diritto *straight, direct* sempre diritto *straight on*
il disastro *disaster*
il disco *record*
la disciplina *discipline*
discutere *to discuss*
dispiacere: mi dispiace *I'm sorry*
distinto *distinguished*
disturbare *to disturb*
la ditta *firm, company*
diventare* *to become*
diverso *different, various*
il divertimento: buon divertimento *have a good time*
divertirsi *to have fun*
la doccia *shower* fare la doccia *have a shower*
il documento *document*
dolce *sweet*
la domanda *question*
domani *tomorrow*
(la) domenica *Sunday*
la donna *woman*
dopo *after*
dormire *to sleep*
il dottore *title of a graduate of an Italian university*
dove *where*
il dovere *duty*
dovere 1) *to have to, to be obliged to* 2) *to owe*
la droga *drugs*
il duce *leader (Mussolini's self-styled title)*
dunque *now, well, so*
durante *during*

E

e *and*
ecco *here (it) is*
egoista *selfish*
elegante *elegant, smart*
un elenco *list* elenco abbonati *directory enquiries*
un elicottero *helicopter*
un elmetto *helmet*
un'emozione *emotion*
entrare* *to enter*
un eroe *hero*
un errore *mistake*
esagerare *to exaggerate*
esattamente *exactly*
esatto *exact*
esempio: per esempio *for example*
esistere* *to exist*
un'esperienza *experience*
essere* *to be*
un'estate *summer*

F

fa *ago*
la fabbrica *factory*
famoso *famous*
fare *to do, make*
avere da fare *to have something to do*
fare attenzione *to pay attention*
fa caldo, freddo *it's hot, cold*
fare un giro *to go for a ride, trip*
fare una cortesia *to do a favour*
fa bel tempo *it's nice weather*
fare l'impiegato *to be a white-collar worker*
fare sogni *to have dreams*
la farmacia *chemist's*
fastidio: Le da fastidio . . . ? *Do you mind . . . ?*
il fatto *fact*
il fazzoletto *handkerchief*
la febbre: avere la febbre *to have a temperature*
fermo *firm*
la festa *party*
il festival *festival*
il fiammifero *match*
la figlia *daughter*
il figlio *son*
(il) figliolo *my son (used by priests)*
finale *final*
finalmente *finally*
la fine *end*
la finestra *window*

finire *to finish*
fino a *until; as far as*
il fiore *flower*
Firenze *Florence*
firmare *to sign*
fondo: in fondo *over there*
la forchetta *fork*
la forma: in gran forma *on top form*
il Foro romano *the Forum*
forse *perhaps*
forte *strong*
fortunato *lucky*
forza! *come on!*
fotografare *to photograph*
la fotografia *photo*
il fotografo *photographer*
fra *between, amongst* fra vent'anni *in twenty years' time*
fra; fra Michele *Brother Michael*
francese *French* un francese *Frenchman*
il fratello *brother*
freddo *cold* fa freddo *it's cold*
il freno *brake*
fritto *fried* siamo fritti! *we're done for!*
la frizione *clutch*
fumare *to smoke*
funzionare *to work, go, function*
il fuoco *fire*
fuori *outside* da fuori *from outside*

G

il gabinetto *lavatory*
il gallese *Welshman*
la galleria *dress circle; gallery*
la gamba *leg*
il gas *gas* a tutto gas *at full throttle*
geloso *jealous*
il generale *general*
geniale *brilliant*
i genitori (pl.) *parents*
(il) gennaio *January*
la gente *people*
gentile *kind, nice*
già *already*
la giacca *jacket, coat*
il giardino *garden*
giocare *to play*
il giocatore *player*
il gioco *game*
il giornale *newspaper*
la giornata *day*
il giorno *day*
buongiorno *good morning*
giovane *young*
(il) giovedì *Thursday*
girare *to turn*
il giro *turn, lap* fare un giro *to go for a walk, a ride, a trip*
la gita *excursion, trip, tour*
la giungla *jungle*
giusto *fair; exact*
la gola *throat*
la gomma *tyre*
la gonna *skirt*
grande *big; great*
grasso *fat*
grazie *thank you;* grazie mille *many thanks* grazie infinite *thanks a million* grazie tante *thank you so much*
il gruppo *group*
il guanto *glove*
guardare *to look*
il guardiano *guardian*
guarire *to cure, to recover*
guasto *broken*
la guerra *war*

I

un'idea *idea*
ieri *yesterday*
un imbecille *idiot*
un impiegato *employee* fare l'impiegato *to be a white-collar worker*
importare:
non importa *it doesn't matter*
importante *important*
impossibile *impossible*
improvvisamente *suddenly*
in *in* in aereo, barca, treno *by plane, boat, train* in fondo *over there*
un incidente *accident*
incontrare *to meet*
un incontro *meeting*
indimenticabile *unforgettable*
un indirizzo *address*
individualista *individualist*
un Inferno *Hell*

infinito: grazie infinite *thanks a million*
un'informazione *piece of information*
ingiusto *unfair*
inglese *English* un inglese *Englishman* chiave inglese *spanner*
un inizio *beginning*
innocente *innocent*
insieme *together*
insistere *to insist*
interessante *interesting*
interrogare *to interrogate*
un'interpretazione *interpretation*
un'interurbana *trunk-calls operator*
intervenire *to intervene*
inventare *to invent*
un irlandese *Irishman*
un'invenzione *invention*
un inverno *winter*
un'investigazione *investigation*
invitare *to invite*
io *I*
irritante *irritating*
isolato *isolated*
un'ispirazione *inspiration*
un istituto *institute*
un'Italia *Italy*
italiano *Italian* un italiano *Italian*

L

là *there*
il ladro *thief*
laggiù *down there*
lasciare *to leave*
il latte *milk*
la lavanderia *laundry*
lavare *to wash*
lavorare *to work*
leggere *to read*
lei *she, her*
Lei *you*
il leone *lion*
la lettera *letter* lettera di raccomandazione *letter of recommendation*
il letto *bed*
lì *there*
liberare *to free*
libero *free*
la libertà *freedom*
il libro *book*
il limone *lemon*
la lingua *language; tongue*
la lira *lira*
Londra *London*
lontano *distant, far*
loro *they, them*
la luce *light*
(il) luglio *July*
lugubre *lugubrious*
lui *he, him*
(il) lunedì *Monday*
lungo *long*

M

ma *but*
la macedonia *fruit salad*
la macchina *car* macchina fotografica *camera*
la madre *mother*
Maestà *Majesty*
(il) maggio *May*
magnifico *marvellous*
mai *ever* non . . . mai *never* come mai? *how on earth?*
malato *ill* il malato *sick man*
male *bad* mal di gola *sore throat*
maledizione! *curses!*
la mamma *mother, mum*
mandare *to send*
mangiare *to eat*
la mano *hand* (le mani *hands*) dare una mano *to give a hand*
il mare *sea*
il marito *husband*
(il) martedì *Tuesday*
(il) marzo *March*
il matrimonio *marriage*
la mattina *morning*
il meccanico *mechanic*
il medico *doctor*
meglio *better*
la mela *apple*
meno *less* le otto meno dieci *ten to eight*
mentre *while*
(il) mercoledì *Wednesday*
meridionale *southern*
il mese *month*
la messa *mass*
il metallo *metal*
mettere *to put on*

la mezzanotte *midnight*
la mezz'ora *half an hour*
Milano *Milan*
migliore *best*
mille *a thousand* (mila *thousands*)
grazie mille *many thanks*
il milione *million*
la minestra *soup*
il ministro *minister*
il minuto *minute*
mio/mia/miei/mie *my*
il miracolo *miracle*
miracoloso *miraculous*
misero *miserable*
la misura *measurement, size*
la moda *fashion*
la modella *model, mannequin*
il modello *model*
la moglie *wife*
molto 1) *much; very; a lot* 2) *many*
il momento *moment* un momento! *wait a minute!*
il monaco *monk*
il monastero *monastery*
il mondo *world*
la montagna *mountain* in montagna *in the mountains*
il monumento *monument, sight*
morto *dead*
il motore *engine*
il museo *museum*
la musica *music*

N

napoletano *Neapolitan*
(il) Natale *Christmas*
naturalmente *of course*
la nave *ship*
ne *of it, of them*
necessario *necessary*
il negozio *shop*
nel, nell', nella, nello, nei, negli, nelle *in the*
il nemico *enemy*
nero *black*
nervoso *nervous*
nessuno *nobody*
niente *nothing*
no *no* penso di no *I don't think so*
noi *we*
il nome *name* a nome di *on behalf of*
non *not*
la nonna *grandmother*
il nord *north*
nostro *our* i nostri *our men*
la notizia *news*
la notte *night* di notte *at night* mezzanotte *midnight* stanotte *tonight*
nulla *nothing*
il numero *number*
nuovo *new* nuovissimo *latest*
nuotare *to swim*

O

o *or*
gli occhiali *spectacles*
un occhio *eye*
occupato *engaged; busy*
odiare *to hate*
offrire *to offer*
un oggetto *object* oggetti sacri *religious objects*
oggi *today*
ogni *every, each*
un olio *oil*
un'ombra *shade, shadow*
un'opera *opera*
un'operazione *operation*
un'ora *hour* a che ora . . . ? *when . . . ?* che ora è? che ore sono? *what time is it?* mezz'ora *half an hour*
ora *now*
ordinato *organised, ordered*
un oro *gold*
un orologio *watch*
orribile *horrible*
un ospite *guest*
ostinato *obstinate*
ottimo *excellent*

P

il padre *father*
il paese *village; country*
la panna *whipped cream*
i pantaloni *trousers*
il papa *pope*
il paradiso *paradise*
parcheggiare *to park*
parlare *to speak*

la parola *word*
la parte *part* prendere parte *to take part*
la partenza *departure* essere in partenza *to be about to leave*
partire* *to leave*
la partita *game, match*
il passaggio *lift* dare un passaggio *to give a lift*
passare *to spend (time); (on telephone) to put through*
il passo *pace, step*
la pasta *pasta*
la patata *potato*
il patriota *patriot*
la paura *fear* avere paura *to be afraid*
la pazienza *patience*
il pazzo *madman* pazzo *mad*
peccato, che peccato *what a shame*
peggio *worse* peggiore *worst*
le pelliccia *fur coat*
pensare *to think* penso di sì, di no *I think so, I don't think so*
la pensione *boarding house*
la pentola *saucepan*
per *for* per favore, per piacere *please*
perchè *why; because*
perdere *to lose*
perdonare *to forgive*
perfetto *perfect, splendid*
il pericolo *danger*
pericoloso *dangerous*
la periferia *suburbs, outskirts*
però *but*
la persona *person*
pesante *heavy*
il pettine *comb*
il pezzo *bit, piece*
piacere: mi piace *I like*
piacere, per piacere *please*
pianoforte *piano*
il piano *floor*
piano *slowly; quietly*
la pianta *map*
il piatto *plate*
la piazza *square*
piccolo *small*
il piede *foot* a piedi *on foot*
il pilota *driver, pilot*
la pioggia *rain*
piovere* *to rain*
il pittore *painter*
più *more* il più grande *the greatest*
più tardi *later*
la platea *stalls (theatre)*
po': un po' di *a bit of, a few*
poco *little* a poco prezzo *cheaply*
la poesia *poetry*
poi *then*
la polizia *police*
il pomeriggio *afternoon*
il ponte *bridge*
la porta *door*
portare 1) *to bring; to take; to carry* 2) *to wear*
possibile *possible*
il posto *position; space, room*
potente *powerful*
potere *to be able to*
povero *poor*
il pranzo *dinner*
la predica *sermon*
la preferenza *preference*
preferire *to prefer*
preferito *favourite*
prego *not at all, it's nothing* la prego *please*
il premio *prize*
prendere *to take* prendere parte *to take part*
preoccuparsi *to be worried*
preoccupato *worried*
preparare *to prepare*
presentare *to introduce; to present*
presto *quickly*
il prete *priest*
il prezzo *price* a poco prezzo *cheaply*
il prigioniero *prisoner*
la prigione *prison*
prima, prima di *before*
la primavera *spring*
primo *first*
principale *main, principal*
la principessa *princess*
privato *private*
il prodotto *product*
il professore *professor*
pronto *ready; hello (on 'phone)*
proposito: a proposito *by the way*
il proprietario *owner*
proprio *just*

prossimo *next*
proteggere *to protect*
provare *to try*
pubblicare *to publish*
il pubblico *public, audience*
purtroppo *unfortunately*

Q

qua *here*
il quadro *picture*
qualche *some, a few*
qualcosa *something*
qualcuno *someone*
quale *which; what*
quando *when*
quanto *how much* quanto costa? *how much is it?* quanto ci vuole? *how long does it take?*
quasi *almost, nearly*
quello/a/i/e *that/those*
la questione *question*
questo/a/i/e *this/these*
qui *here*

R

raccontare *to tell*
raffreddato: essere raffreddato *to have a cold*
la ragazza *girl*
il ragazzo *boy, lad*
ragione: avere ragione *to be right*
la rapina *robbery*
rapinare *to rob*
il rapporto *relationship*
il rappresentante *representative*
il re *king*
la realtà *reality*
la reclame *advert* fare la reclame *to advertise*
il regalo *present*
la regina *queen*
il regista *director (film)*
resistenza, fare resistenza *to resist*
resistere *to resist*
restare *to stay*
resto *rest*
la ricetta *recipe*
ricevere *to receive*
richiamare *to call back (telephone)*
riconoscere *to recognise*
ricordare *to remember*
ridicolo *ridiculous*
rifiutare *to refuse*
rimanere* *to remain*
ringraziare *to thank*
riparare *to repair*
ripetere *to repeat*
rispetto: con rispetto *with respect*
rispondere *to reply*
ritardo: essere in ritardo *to be late*
il ritorno *return* biglietto di andata e ritorno *return ticket*
il ristorante *restaurant*
riuscire* *to succeed; to manage*
la rivista *magazine*
romano *Roman*
romantico *romantic*
rompere *to break*
il rossetto *lipstick*
rosso *red*
rubato *stolen*
il rumore *noise*

S

il sadico *sadist*
la sala conferenze *conference room, meeting hall*
salire* *to go up, get on to*
il salotto *drawing-room, lounge*
salutare *to salute, to welcome*
salvare *to save*
salve! *hello!*
salvo *safe*
il santo *saint* santo cielo! *good heavens!*
sapere *to know* sapere guidare *to know how to drive*
il sarto *tailor*
la scarpa *shoe*
la scatola *box, carton*
la scena *scene; stage (theatre)*
lo scherzo *joke*
la schiena *back*
la scimmia *monkey*
scoprire *to discover, find out*
scorso *last*
lo scozzese *Scotsman*
scrivere *to write*
la scultura *piece of sculpture*
la scuola *school*

scusa, scusi, mi scusi *excuse me*
se *if*
il secolo *century*
secondo *second* di seconda *second class*
secondo (me) *in (my) opinion*
la sedia *seat*
la segretaria *secretary*
il segreto *secret*
seguire *to follow*
il semaforo *traffic light*
sembrare* *to seem*
semplice *simple*
sempre *always*
sensazionale *sensational*
il senso *sense*
sentire *to hear*
sentirsi *to feel* mi sento bene *I feel well*
senza *without* senz'altro *of course*
la separazione *separation*
la sera *evening* di sera *in the evening* stasera *this evening*
la serata *evening*
la settimana *week*
sì *yes*
la Sicilia *Sicily*
siciliano *Sicilian*
sicuro *certain, sure*
la sigaretta *cigarette*
il sigaro *cigar*
significare *to mean*
la signora *Mrs, lady*
il signore *Mister, gentleman*
la signorina *Miss, young lady*
il silenzio *silence* silenzio! *be quiet!*
sincero *honest, frank*
la sinistra *left* a sinistra *on, to the left*
il sistema d'allarme *alarm system*
soffocare *to suffocate*
il soggiorno *drawing room, lounge*
sognare *to dream*
il sogno *dream*
il soldato *soldier*
i soldi *money*
il sole *sun*
solito *usual, same*
solo 1) *alone* 2) *only* da solo *on one's own*
soltanto *only*
sopra *above, over*
soprattutto *above all*
la sorella *sister*
la sorpresa *surprise*
il sorriso *smile*
sotto *under, underneath*
la spada *sword*
spaventarsi *to be afraid*
la spazzola *brush*
la specialità *speciality*
specialmente *especially*
la spedizione *expedition*
spendere *to spend*
sperare *to hope*
spesso *often*
lo spettacolo *show*
lo spezzatino *stew*
spiegare *to explain*
spiritoso! *very funny!*
sporco *dirty*
sportivo *sporting*
lo spumante *sparkling wine*
la squadra *team*
la stagione *season*
stanco *tired*
stanotte *tonight*
stare *to stay, to stand, to be*
lo stato *state*
stasera *this evening*
la statua *statue*
la stazione *station*
stesso, lo stesso *the same*
lo stipendio *salary, pay*
la storia *story; history* quante storie! *what a fuss!* storie! *rubbish!*
la strada *road* per strada *on the street*
straniero *foreign*
strano *strange*
lo studente *student*
studiare *to study*
stupendo *terrific*
stupido *stupid*
su 1) *on* 2) *up*
subito *immediately*
succedere* *to happen* cos'è successo? *what's happened?*
il successo *success*
il sud *south*
sul, sull', sullo, sulla, sui, sugli, sulle *on the*

suo, sua, suoi, sue *his, her*
suonare *to play (an instrument)*
il suono *sound*
svedese *Swedish* uno svedese *Swede*
svegliare *to awaken*
svenire* *to faint*

T

tanto *so much* grazie tante *thank you so much*
tardi *late*
la tasca *pocket*
il tavolo *table*
il taxi *taxi*
il tè *tea*
tedesco *German* un tedesco *German*
telefonare *to telephone*
il telefono *telephone*
il telegramma *telegram*
la teleselezione *STD*
la temperatura *temperature*
il tempo *time; weather* in tempo *in time* fa bel tempo *it's nice weather*
tenere *to hold*
il tenore *tenor*
terribile *terrible*
terzo *third*
il tesoro *treasure (term of endearment)*
la testa *head* in testa *in the lead*
timido *timid*
il tipo *bloke*
toccare *to touch*
togliere *to take off*
Torino *Turin*
tornare* *to return*
il traghetto *ferry*
tranquillo *peaceful*
il trasferimento *transfer*
il treno *train*
la tribù *tribe*
triste *sad*
troppo *too (much)*
trovare *to find* andare a trovare *to visit*
le truppe *troops*
tu *you* diamoci del tu *let's say* tu *to each other*
tuo, tua, tuoi, tue *your*
tutti *everybody*
tutto *all, everything*

U

un ufficio *office* ufficio postale *post office* ufficio oggetti smarriti *lost property office*
ultimo *last* ultima moda *latest fashion*
un, una, un', uno *a, one*
l'una *one o'clock*
unico *only, sole*
unire *to unite*
un'unità *unity*
un uomo *man* uomini *men*
uomo d'affari *businessman*
urgente *urgent*
uscire* *to go out, to leave*

V

va bene *it's OK, all right*
la vacanza *holidays* in vacanza *on holiday*
la valigia *suitcase*
il vaporetto *Venetian motor-boat*
vecchio *old*
vedere *to see*
vendere *to sell*
Venezia *Venice*
venire* *to come*
la ventina *about twenty*
veramente *really*
verde *green*
la verdura *green vegetables*
vero *real* non è vero? *isn't it? isn't it so?*
verso *towards*
il vestito *dress; suit*
(la) via 1) *street* 2) *away* via di qua! *away from here!*
viaggiare *to travel*
il viaggio *journey* buon viaggio *have a good journey*
vicino (a) *near (to), close*
vietato *forbidden*
il vigile *policeman*
il vigliacco *coward*
la villa *villa*
il villaggio *village*
vincere *to win*
il vino *wine*
visitare *to visit*
il viso *face*

la vista *view*
la vita *life*
la vitt**o**ria *victory*
viva . . .! *long live . . .!*
vivo *live, living, alive*
la voce *voice*
volenti**e**ri *with pleasure*
vol**e**re *to want, wish* vol**e**re dire *to mean*
il volont**a**rio *volunteer*
la volta *time* anc**o**ra una volta *again*
vostro, a, i, e *your*

Z

la zia *aunt*
zitto! *Shhh! shut up!*
lo z**u**cchero *sugar*